SUDOKU

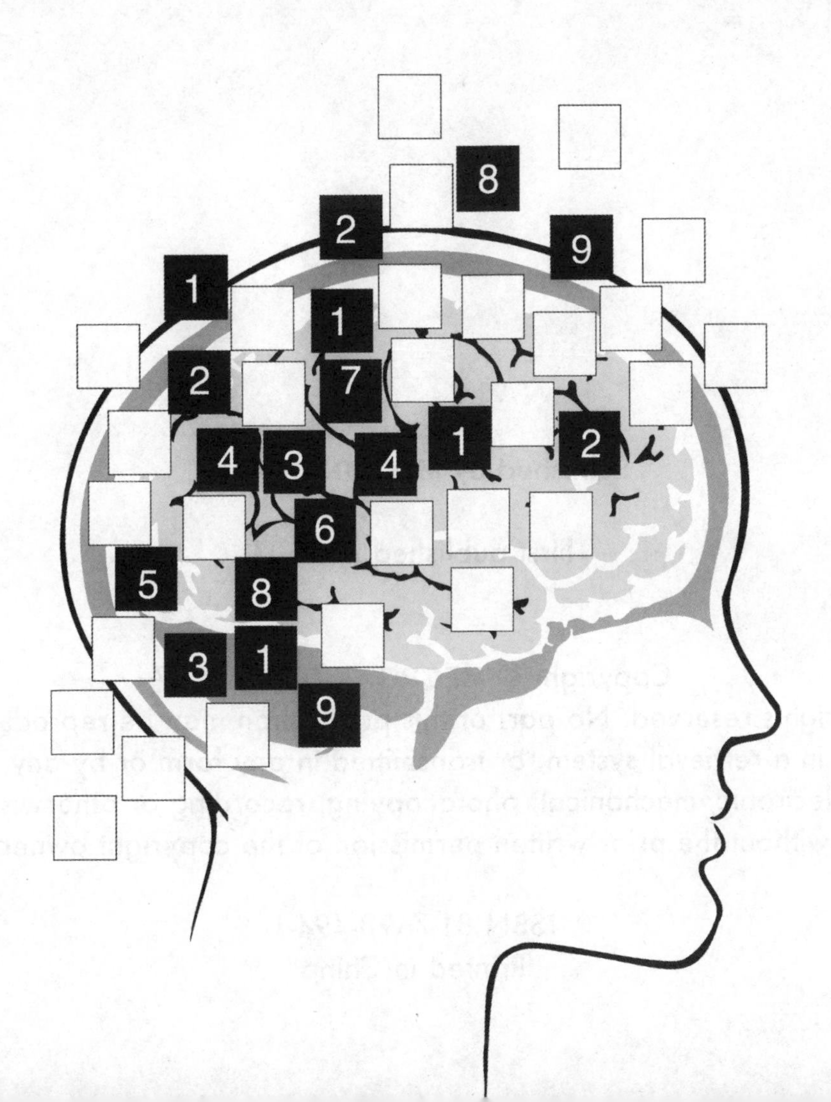

Published by **MECRON BOOKS**

First published in 2007

ISBN 81-7693-494-1
Printed in China

CONTENTS

SUDOKU

How to play

The game is a big square made up of 9 rows and 9 columns (9x9). Inside this square are 9 smaller squares of 3 rows and 3 columns (3x3). Some boxes have some numbers in them and some do not.

What's the aim of the game?

The aim of the game is to fill up as many boxes as you can with the numbers 1 to 9 – deciding where each number goes is the challenge.

- Each of the 9 rows must contain the numbers 1 to 9 in any order, but you can only use each number once.
- Each of the 9 columns must contain the numbers 1 to 9 in any order, but you can only use each number once.

But there's more; to make it harder, you must also fill each of the 9 smaller squares with the numbers 1 to 9, again using each number only once.

Let's begin!

	8	5	7			1		
1			8	5		4	7	
	4		6					
4			1				9	6
6			4	2	9		5	8
9	7				5			4
		7		4	8		3	1
	1			3	6			7
		9				8	4	5

Begin with the rows. The easiest way is to look at the 3x3 boxes at the top. There are 5's already in the top and middle rows, so you will need to put the missing 5 in one of the empty boxes on the bottom row. But which one? It has to be one of the columns 7,8 or 9 because the two other 3 x3 boxes at the top already have their 5's in place. But now look down the columns; there are already 5's in columns 8 and 9, so the only possibility is in column 7.

Still looking at the top 3x3 boxes, let's turn to the 4's. There is already a 4 in the middle row and a 4 on the bottom row, so you will need to put a 4 in the top row. Your options are column 5 and 6 (the adjacent 3x3 boxes already have their 4 in place). But before you decide, look down the columns; there is already a 4 in column 5 so your only option is in column 6.

Keeping with the top 3x3's, let's look at the 7's. You already have 7's in the top and middle rows so put another somewhere on the bottom row. What are your choices? Your options are columns 1and 3 (the other 3x3 boxes already have 7's in place). Look down the columns and you will see 7's already in columns 2 and 3 so your only choice is to put it in column 1.

Continue until you have done as much as you can. But there's more....

The next step

Now the columns need to be checked. Let's start by looking a the block of 3x3's on the left hand side.

We start by finding out which numbers 1-9 might fit into the top box in column 1. It can't be 1 as it is already in the 3x3 box. It might be 2 or 3. It can't be 4 or 5 as they are already in the 3x3 box. It might be 6,7 or 9 (not 8 as it is already in the 3x3 box).

So, it might be 2,3,6,7 or 9. Write these possibilities lightly in the box, in pencil. But now look down column 1; 6 and 9 are already there, so you can eliminate these. You are left with numbers 2, 3 or 7. Now look across the whole first row; number 7 is already there, so your only possibilities are 2 or 3.

Continue examining each empty box in this way and eliminating possible numbers. When each box is completed, you will see that there is only one possibility for each box.

To conclude: fill in the grid so every row, column and 3x3 square contains the numbers 1-9 only once.

Enjoy!

THE WARM UP

The Warm Up Puzzle 1

Start

1	8	4	9	3			2	6
3		9		6		8		7
2		6	5		8	4		3
4		8		7		1	5	2
7	3			2	5	6		9
	6	2		9		7		4
6				8	9		4	
9				5		2		8
8	1			4		9	7	5

End

Level # 1

The Warm Up Puzzle 2

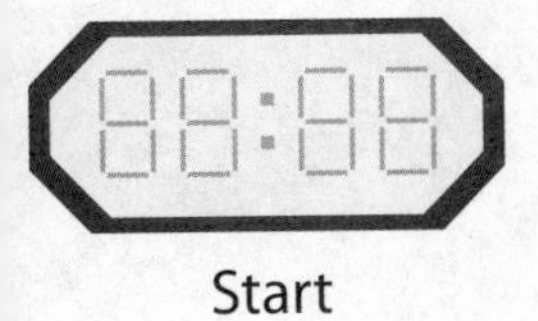

Start

8	7	3	9		6		1	5
	1	6	5	3			7	9
4	9	5		7		8		6
	2				4	9	5	8
		1	8		5	6		
5	8	4	6	9	7	3		
		9		5		7	8	2
3			7	6			9	4
	4	2		8		5		3

End

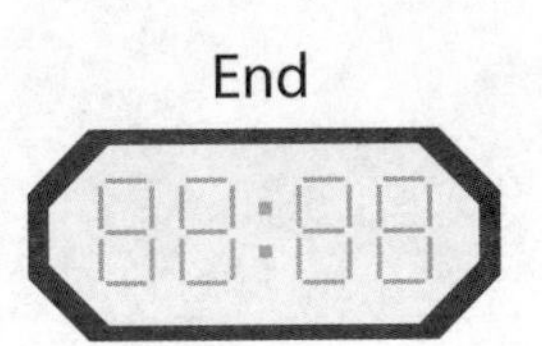

Level # 1

The Warm Up Puzzle 3

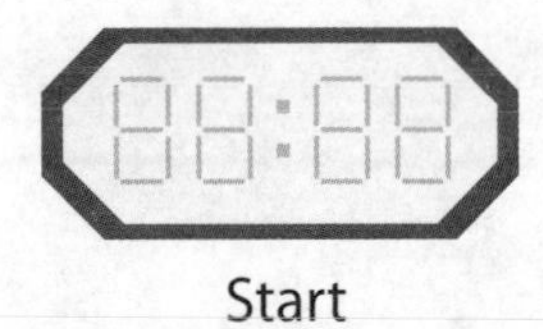

Start

3		9	1		7	6	4	
	8	4	2	9		1		3
	6		5		3		8	9
7		8		2		4	5	
	9	6		7	5	3		
2		1	3				9	7
9	1	5		3	2		6	
8	7			1	9	5		4
6		3	7		8		1	2

End

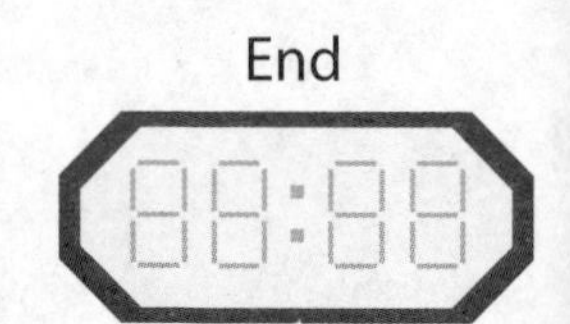

Level # 1

The Warm Up Puzzle 4

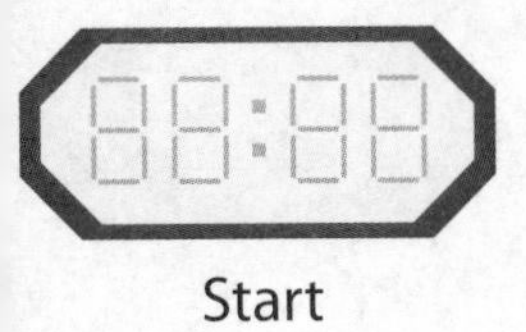

Start

5	4	6	1	9	2	7		8
	2		3		8		4	
9	8	3		7		2		6
	5		6		7		8	
8		1		2		4		7
	7	4	8		3		2	5
7		5		3		8	9	4
	6		4		9		7	2
4		2	7	8		6		3

End

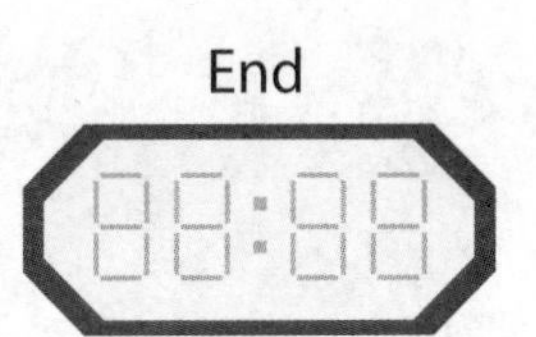

Level # 1

The Warm Up Puzzle 5

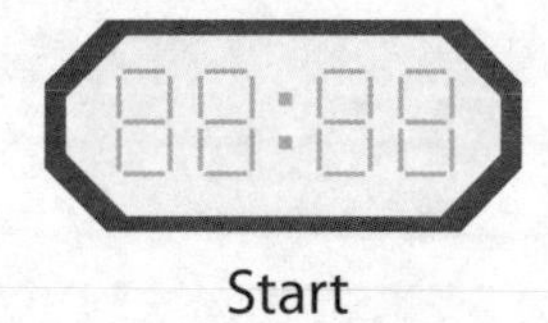
Start

2	7	8		9		3	4	1
4		5		3		7		
3	1			4	7	5	6	
6	8		4			1	2	5
1	9			6	3	8	7	
7		4	2	1		9	3	
5		7	9	8	6	2		
	3			2	1		5	8
8	2			5				7

End
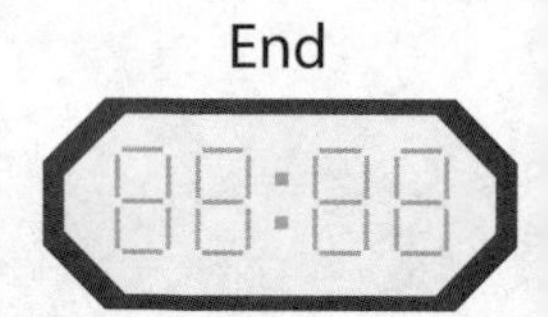

Level # 1

The Warm Up Puzzle 6

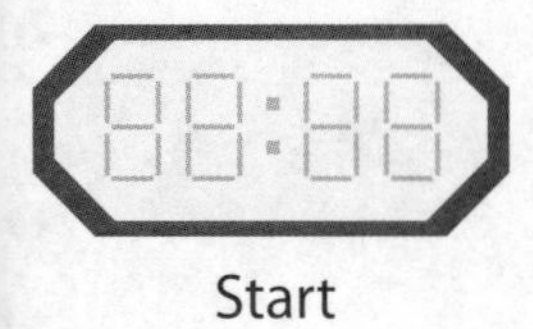

Start

4	8	7	5	2	9	3		
6		1	8	3		9		
	5	9	6	7			4	8
2			1		6		7	9
	9			8			2	6
7		6		9	5	1		3
	6	2	9	1	8		3	4
		3		5	7	6		2
9			3		2		1	

End

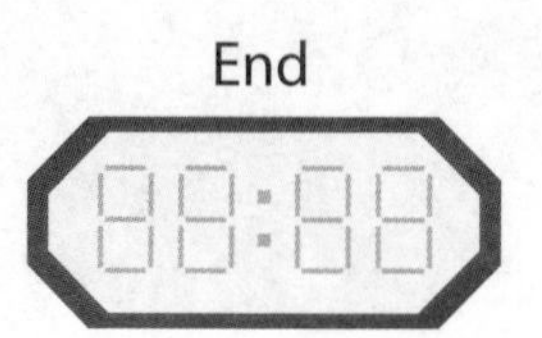

Level # 1

The Warm Up Puzzle 7

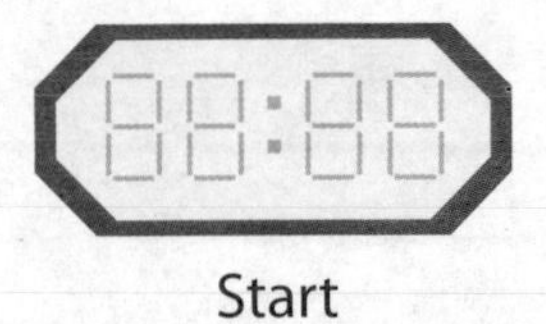

Start

	5	1	8				4	
6		3		4	7	5		1
	9		1	5		6	7	3
9		8	2		4	1	3	
	4	2	3		5	9		7
5	3		7	1			2	4
2	1		4		8	3		6
	8	5		9			1	
3			5		1	4		8

End

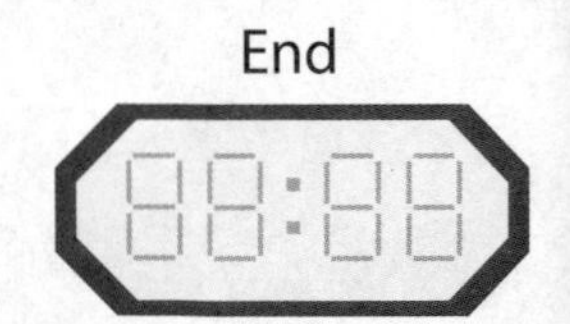

Level # 1

The Warm Up Puzzle 8

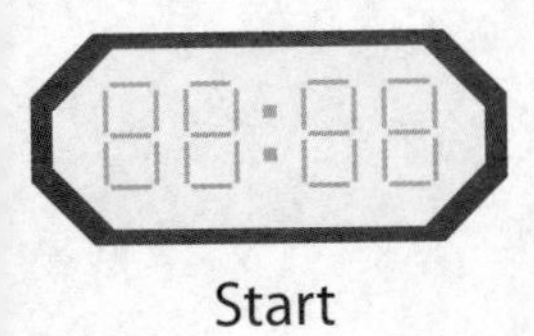

Start

6		4		9		3		1
	5		3	6	7	2		
2		7		1		6		5
	1		4		6	9	3	8
8		5	7		3	4	1	
	6	3			1		2	
1	2			4		7		3
	4		5	7	9	1	6	2
5		6		3		8	4	9

End

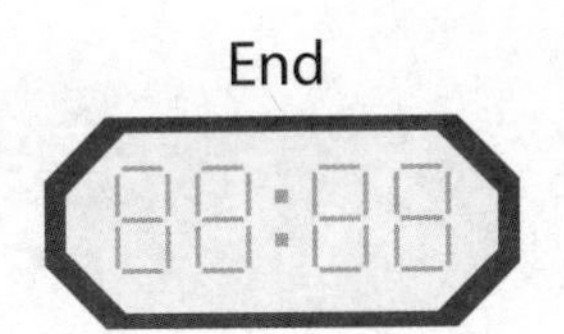

Level # 1

The Warm Up Puzzle 9

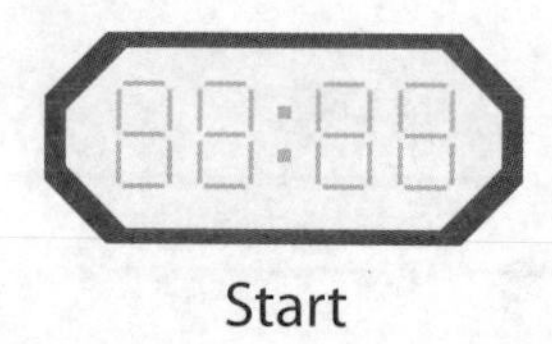

Start

5		9	7			3		1
1	7	8	4		3	2		
4	6	3			2		7	
3		6		4			5	2
7		5	2		8	4		
2	9	4	6				3	
8	3		5	2	9	6	1	4
	5			7	4	9		3
9	4		3				8	5

End

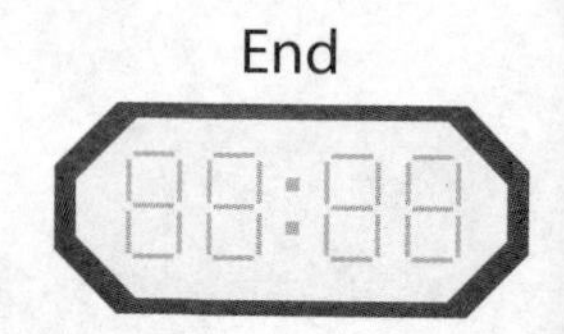

Level # 1

The Warm Up Puzzle 10

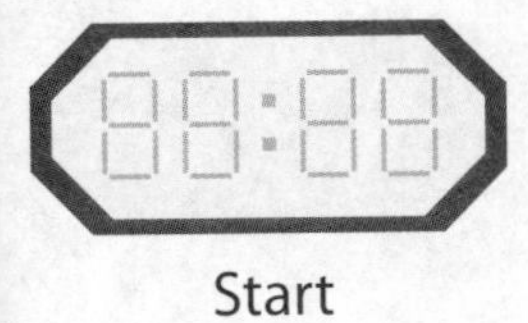

6	7	9	4	8	1			2
8	2	4		5	3	7		9
3	1		2		7		6	8
2	9	6	8			1		7
5			1	6	4			3
4	3				9		5	6
7			9	1				5
		3	5	7		9	2	
9		8			2			1

End

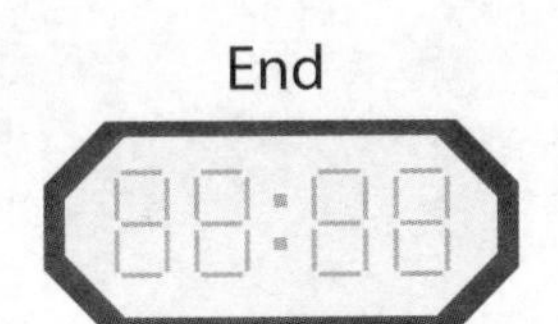

Level # 1

The Warm Up Puzzle 11

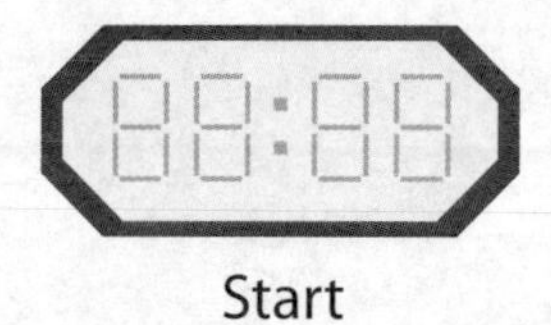

Start

	7	1				9	2	5
	3			5	9		8	7
9		8	7	6	2			3
	8	9		2	1	3	7	
	4	6		7		2	5	
			5		3	8		9
2		3	4	1	7	5		8
	9			8	6	1		
8	1		2	9			3	6

End

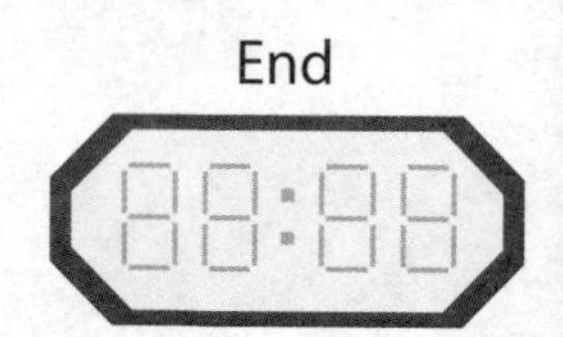

Level # 2

The Warm Up Puzzle 12

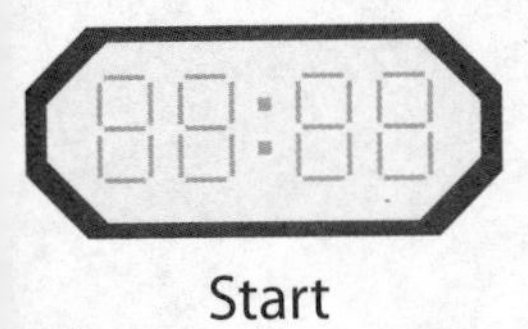

Start

9	1	4	2	5		6		7
6		8		1		2		3
	2		8		7		9	
5	8	7	6			4		2
4		6		2		5		1
	3		4		5	8	6	9
	5		1		6		4	
8		9		4		3		5
1		3		8	9	7	2	

End

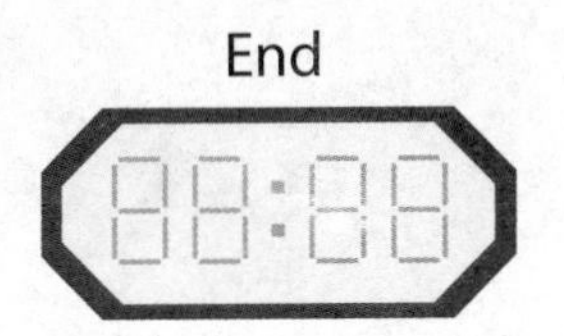

Level # 2

The Warm Up Puzzle 13

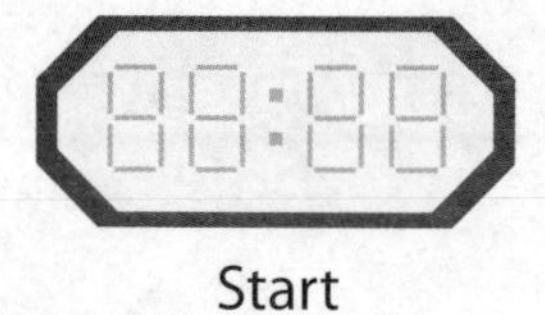

Start

2	4	3	1		9	8	7	
6	8				3		1	
1	9	5	8			3		
8	5		6		2	7		1
7	2	1	4	8				
4	3	6	9		7		8	2
		2			8	6		4
	6		3				9	7
9	7	4	5	2	6			

End

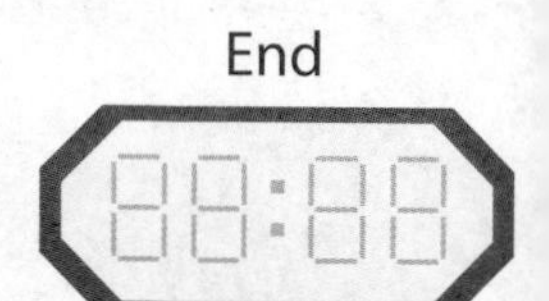

Level # 2

The Warm Up Puzzle 14

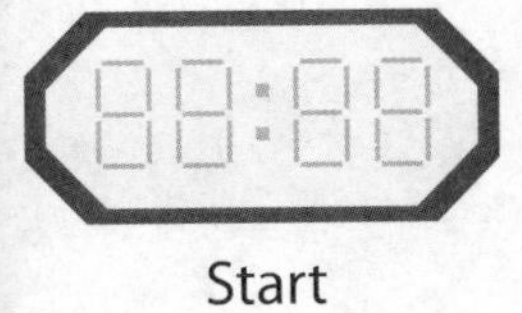

Start

3	8	7	9	1	5		2	6
6	2				7		3	
1		5	6			8		
8		2	3		9	6		4
					8	3	1	2
7		3	1		4	9		8
		8			6	1		9
5	7	6	4	9	1	2		3
4		1	2		3			

End

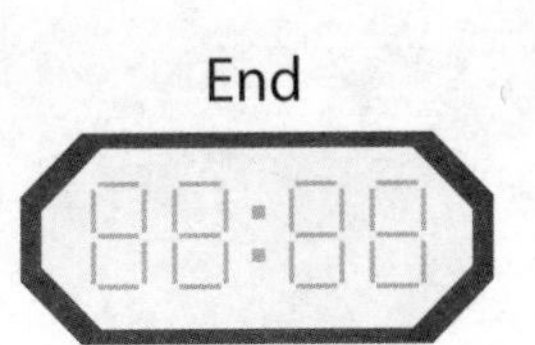

Level # 2

The Warm Up Puzzle 15

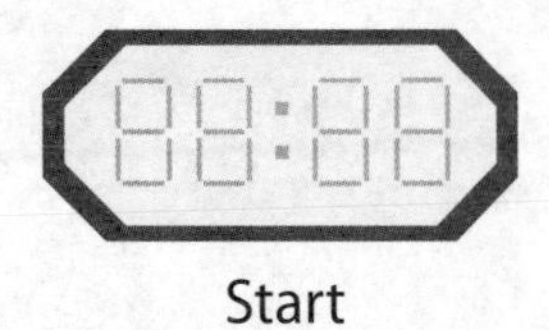

Start

1	8		9		4	5		6
		2		1			7	
3	4		6		7	1	8	2
		6		3	1	9		8
2		4		8	9	3		
8	9	3		4	6		1	5
		8	3	9		6	5	
9	3			6	8	7		4
6			4		5		9	

End

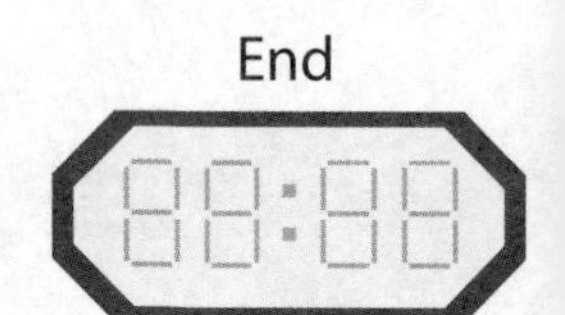

Level # 2

The Warm Up Puzzle 16

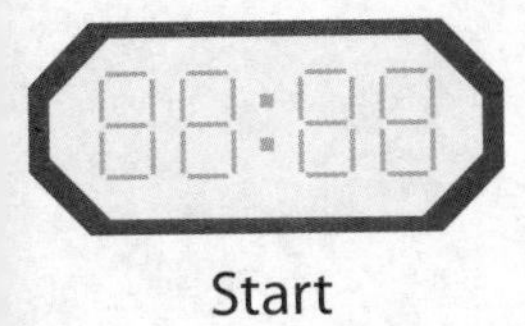

Start

5	8		7		9	6	1	4
2	9			1	6	3		
	7		5	4			2	8
7			3	6		5	8	
8		9			2	7		6
		5		7	8		4	
6	3			8	4		9	
		8		3		4	7	1
4	5	1	2		7			3

End

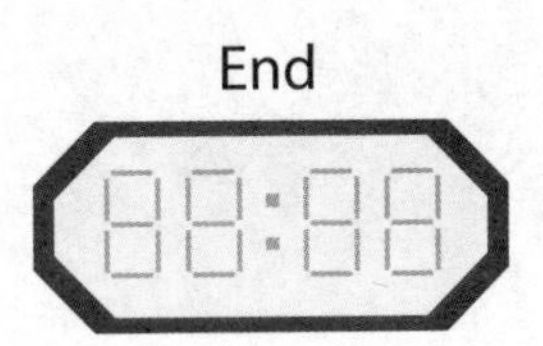

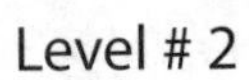

Level # 2

The Warm Up Puzzle 17

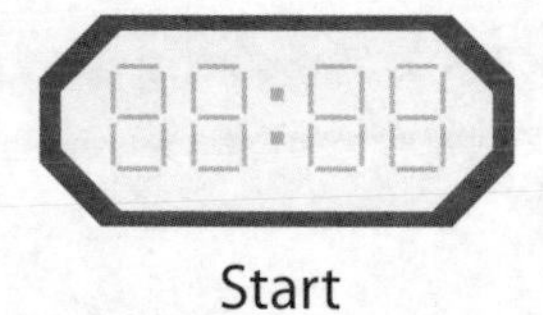

Start

2	6	7	4	9		1		3
	9	4		8	3	5		2
8	5		1	2	6		4	7
5	3		6				7	4
			8	4	9			5
6			3			2		9
4				7	1	3		
		6	5	3		4	2	
3	2					7	5	8

End

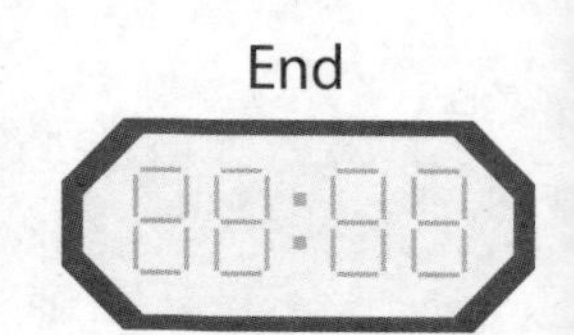

Level # 2

The Warm Up Puzzle 18

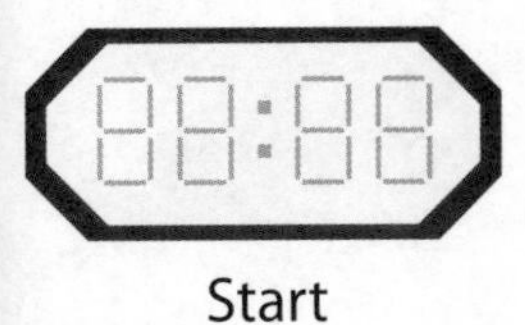

Start

7	5	1					3	
8	9	2		5	3	1		
3	6		8		1		7	
4	8	5	3					7
1			5	7	6			
9	7				4		5	1
5		8		4	7			9
		7	9	2		4	8	
2	4	9	6		8	7	1	5

End

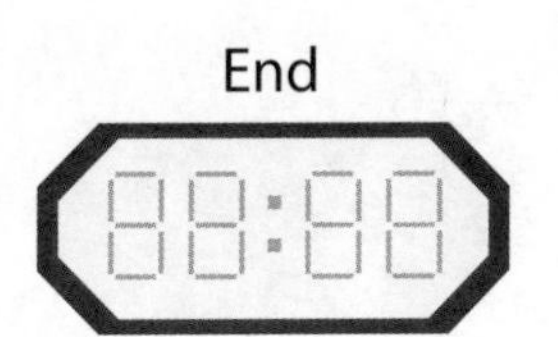

Level # 2

The Warm Up Puzzle 19

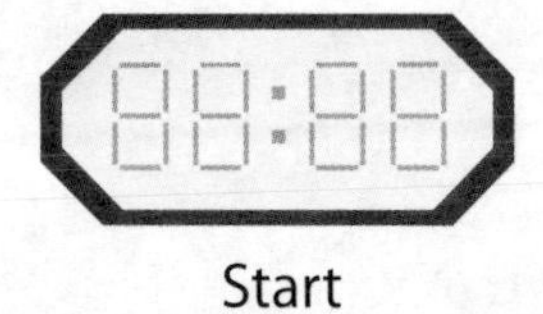

Start

	2	7		3	8		4	1
8			6	2		5		3
4			1			2	9	8
	6	4	2		9		3	
	7	9		6	1	4		
2			3	4		9		6
6	1	8	4		3		5	
			5	1		3		9
9		3	7		2		6	4

End

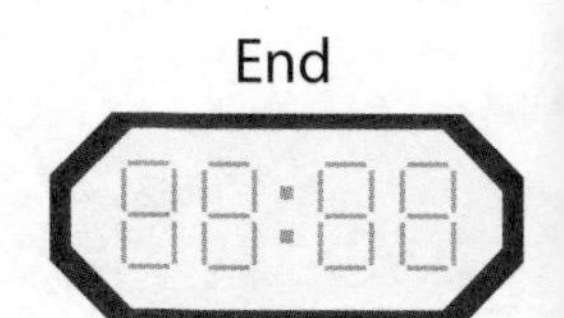

Level # 2

The Warm Up Puzzle 20

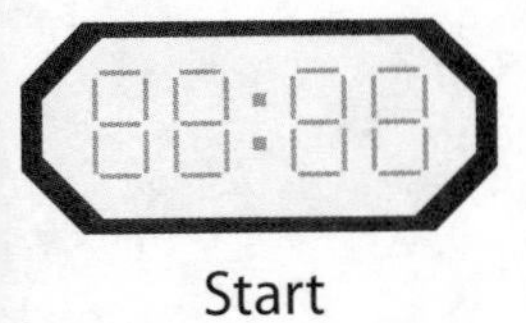

Start

	8		1		4	5	7	
4		6	5	8	9	1		2
	1		7		6	9	8	4
6		7		1	2		5	
	4						9	7
	3	2	9			6		8
1	6		4				2	5
9			3	7	5			1
7	5		2	6		3	4	

End

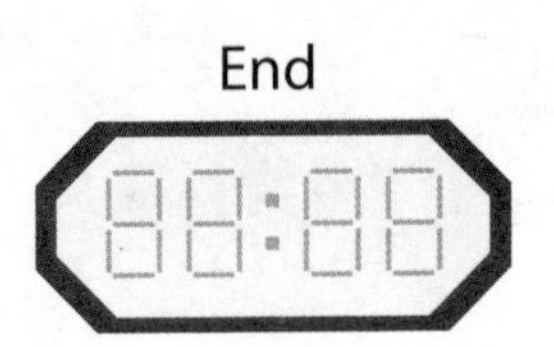

Level # 2

The Warm Up Puzzle 21

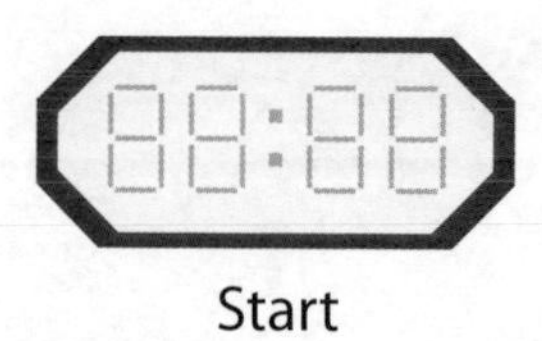

Start

7	1	2	6		5		3	8
	4	6				7	9	
9								2
6	9	8	4	5	2	3		
1	2	7	3	6	9	5	8	
		4	7	8	1	6		
		1				9		
	7	3				8	5	
5	6	9	1	7	8			3

End

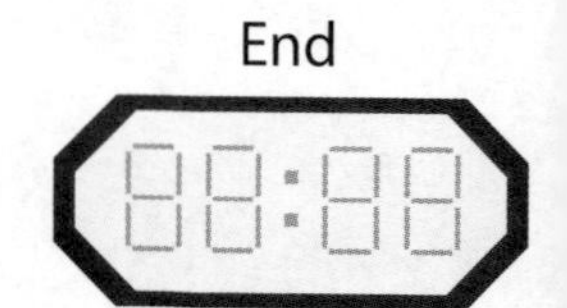

Level # 3

The Warm Up Puzzle 22

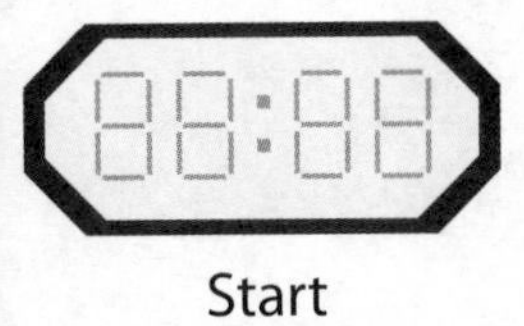

Start

2			3		8			5
1	8	5		4	9			
7	3	4		2		9		
8	5	7			3		4	2
9	6			5			3	
4	1	3		8	6		9	7
3			8	9			5	6
			4	3	5		7	9
5			1	6	2			4

End

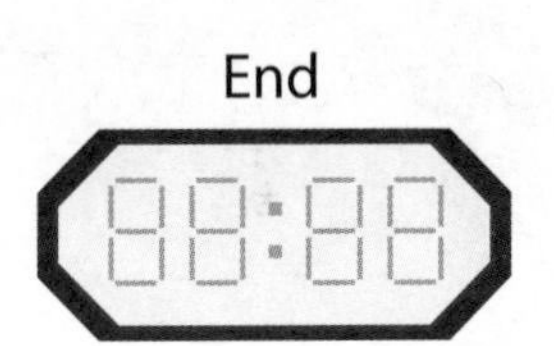

Level # 3

The Warm Up Puzzle 23

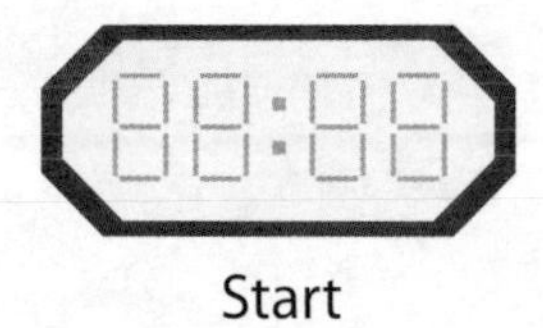

Start

	4		8		2	6		3
7		2		3	4		1	
8			7			2		4
	7	8		2		4	3	
	2	9	5		8	7	6	1
6	5	4		7		8		
2	1				9		8	7
4		6	3	1		9		2
	3		2		5		4	

End

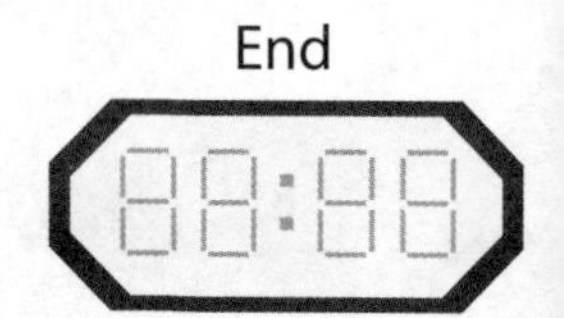

Level # 3

The Warm Up Puzzle 24

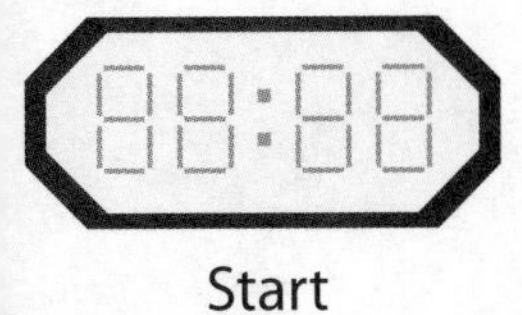

Start

1		5		3	9		4	2
9		8	4	6		1		
4	2		5			6	8	
				9	1			6
	8		2		4	9	5	
		9		5		4		3
8		1		2	3			4
6	3		1	4		2	9	8
	4	2		8	6	3	1	

End

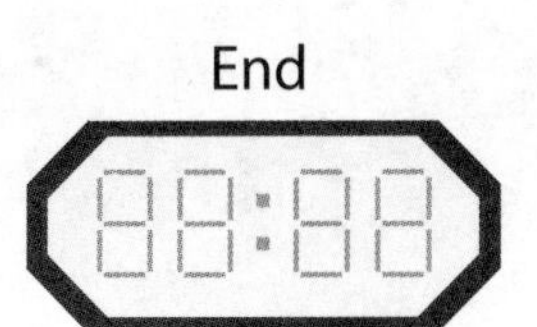

   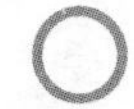 

Level # 3

The Warm Up Puzzle 25

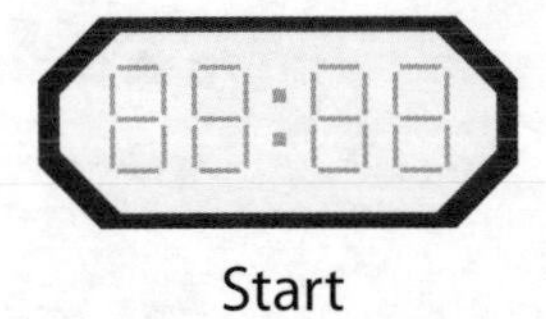
Start

1		5			2	3		8
8	2	7			3			
9		4		1	8		2	6
3		8	6		1		5	
	5	2			9		1	
		1		5	7		3	
5		3	2		4		6	
7	1	6	3	9	5		8	4
2	4	9		8	6			

End
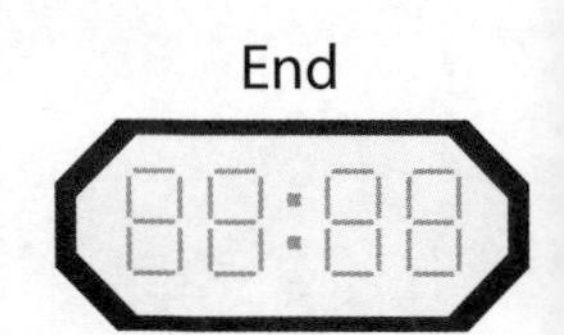

    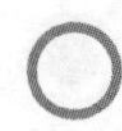

Level # 3

The Warm Up Puzzle 26

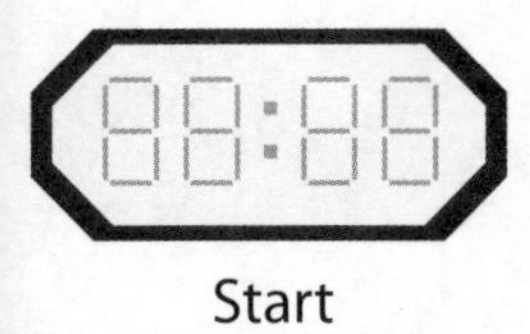

Start

7		1				8	4	6
			7		6	2		
8	6			3		7	9	5
5				7	3	4	2	9
2	8	4	1			3	5	7
		7	2		5	1	6	
	7	8			4	9	3	2
			9		8		7	
9		5	3				8	

End

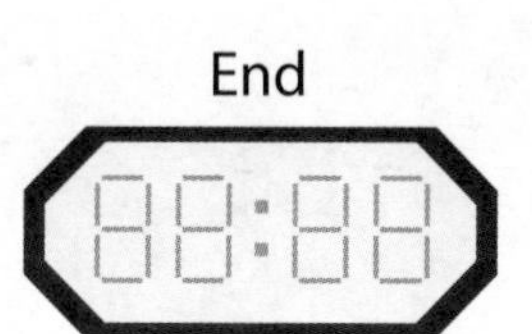

Level # 3

The Warm Up Puzzle 27

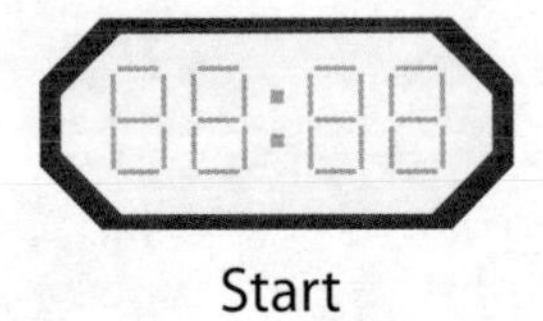

Start

	3	2	8	1	6		5	9
5			3	7	4	8		2
	7	8	9				6	
		7			5	6		1
2	1		7	4			8	5
		5			3			4
	9	1			8		2	
	5		6	2			4	7
6	2		5	9	7	1		

End

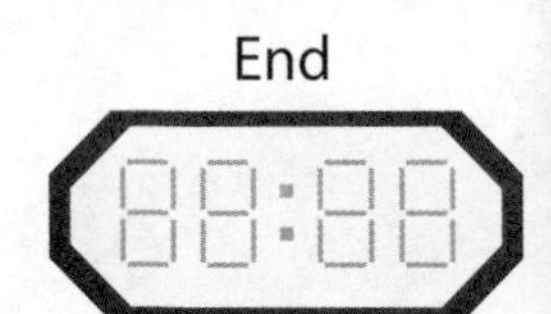

Level # 3

The Warm Up Puzzle 28

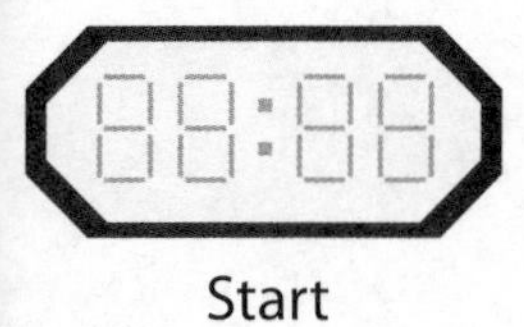

Start

1		9	5		7	8		6
	6	4		3	1		5	
2	5		6		9	1		7
6		1		5		4		
	4		9		2		8	
		2		1	3	7		9
9		5			6		1	
	1	3		7		6		5
4	2		1		5	3	7	

End

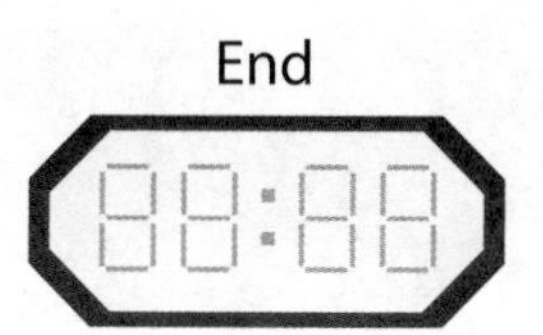

Level # 3

The Warm Up Puzzle 29

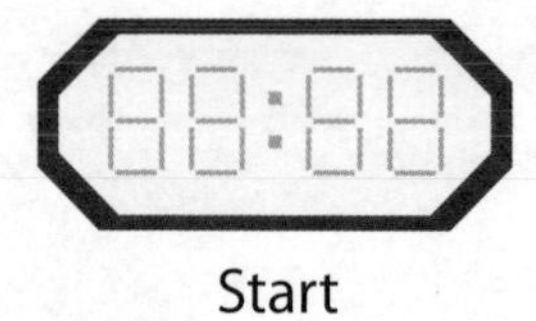

Start

7			8	9	2	5	3	6
	5		7	4			9	
3		9	6			4		8
5		3			4	2		7
9	7		1		8		6	
1	6	2		5				9
2	9	7	5				8	4
4	3			8	9		5	
8				7			2	

End

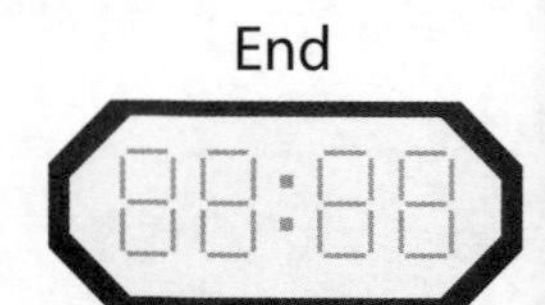

Level # 3

The Warm Up Puzzle 30

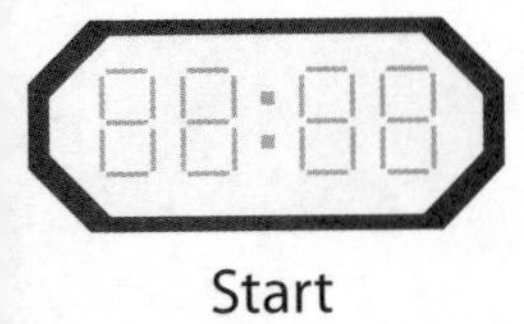

Start

	1		6			3		8
	3	4			2	5		
9				7	3			1
	6		8	4	1	2	7	9
1			7		5			6
7	9	8		2		1		
3		1	9			4		
4	2	9	5		8		6	3
8	7	6	2	3				5

End

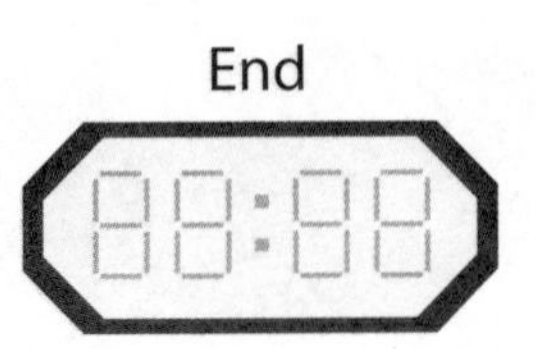

Level # 3

The Warm Up Puzzle 31

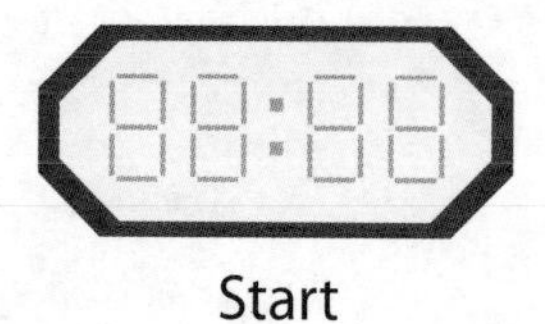

Start

9	6		3		4	2		1
			5	2		9	7	
7	2	1		8		5		3
8			7		6	1		2
		6		5		8		
	7		1		8		5	4
5		7		1	3	4		
		2		4	7		1	5
1		3	8			7	2	

End

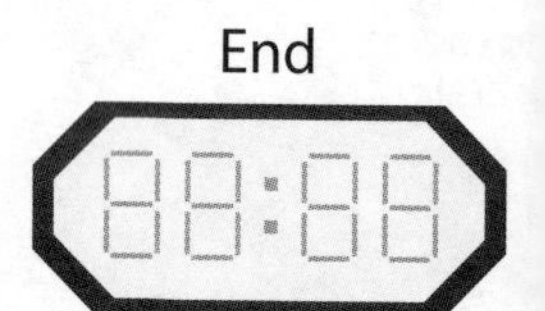

    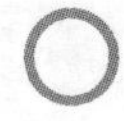

Level # 4

The Warm Up Puzzle 32

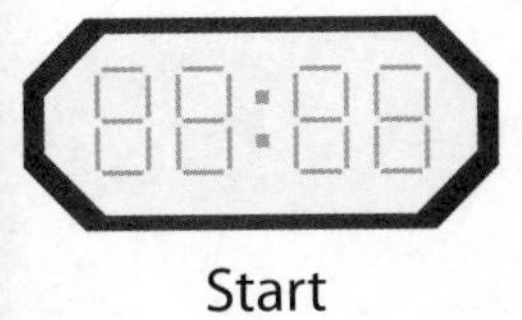

Start

	5	2		1	6		9	3
3			2			5		
	7			9		1		4
	6		7	3		9	5	8
	2		4		9		1	
9	3	7		8	5		6	
7			6	5		2		1
	1	3			8	6		5
6	4			2			7	9

End

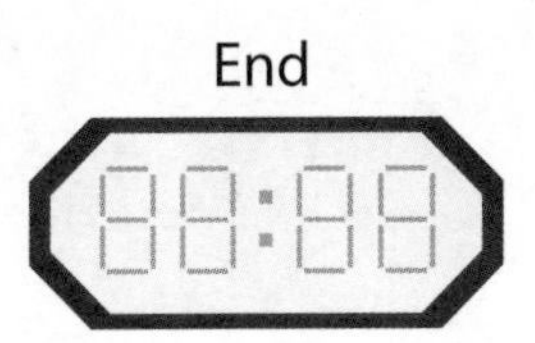

Level # 4

The Warm Up Puzzle 33

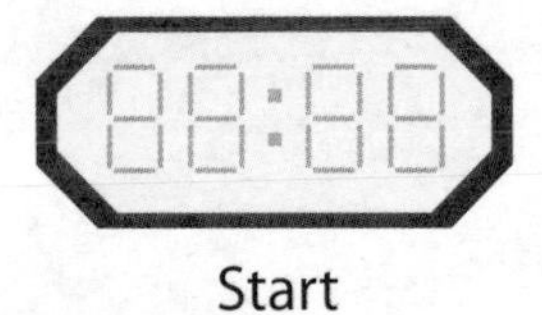

Start

		4	1	9	8	5		
5	1	9	7	3	6	2		8
	3							7
6	9		8		4		2	5
				6				
3	4		5		7		8	9
	6	2	4	8	1	7	5	
	7					8		4
	8		6	7	3		1	2

End

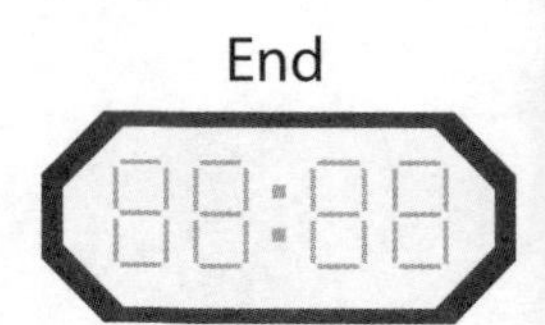

Level # 4

The Warm Up Puzzle 34

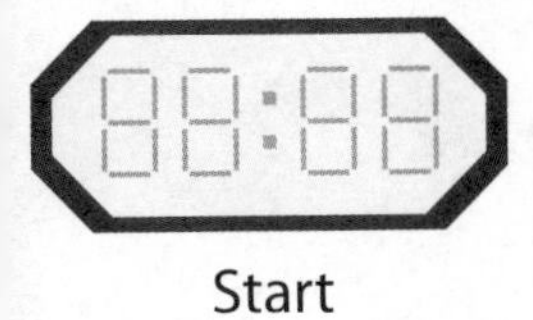

Start

		8					6	
	4	7		9	1	2		8
	1	6	8		4		7	
5	2	4	3				9	
6			4	7	9			
7	9				5		1	6
4	3	9	5		8		2	
8		5	1	3		6	4	
1		2				3	8	5

End

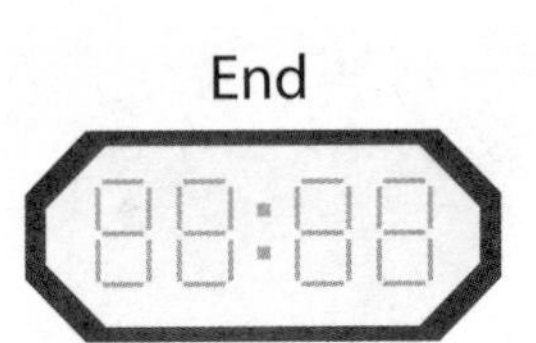

Level # 4

The Warm Up Puzzle 35

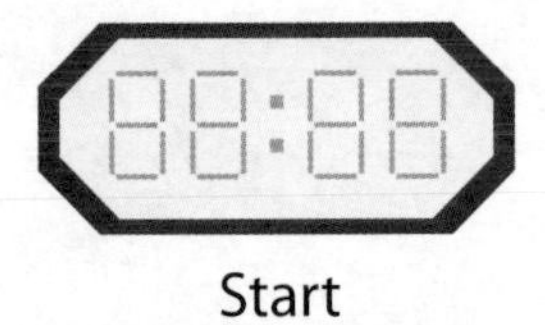

Start

2			4	7		8		6
3		8			1		5	9
	6	4		5	3		2	
4			3			6		5
	9	7		1	5		4	
	5		9			1		7
1				3	2		6	8
5		6	1		8	2		4
7	8		5		6		1	

End

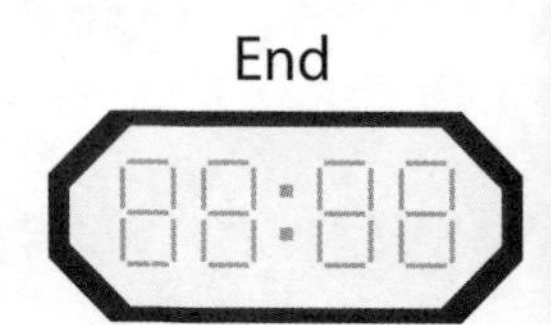

    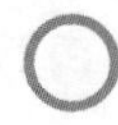

Level # 4

The Warm Up Puzzle 36

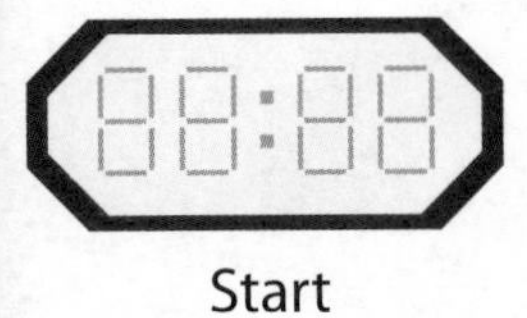
Start

5	3	9	1	2			6	4
	2	1		4			3	9
6		4		5	9		1	
	9		5			2		8
	6			9		1		5
1	5	8			2		9	
	4		7	8		9		1
7				6			5	3
9		5	2		4			

End
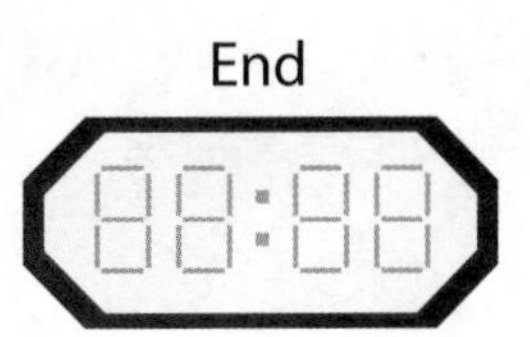

Level # 4

The Warm Up Puzzle 37

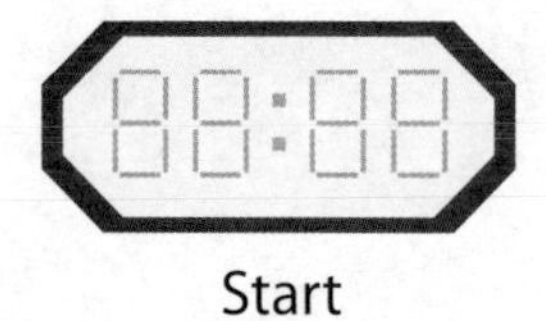

Start

3		8			6	4		
			3	1			8	
	7	1	4			3		6
6	2		5		1	7		8
7	1		8		2		3	
		9		6		1		2
1	3	6	9		8	5		7
			6	7		8	1	
8		7	1			2		9

End

Level # 4

The Warm Up Puzzle 38

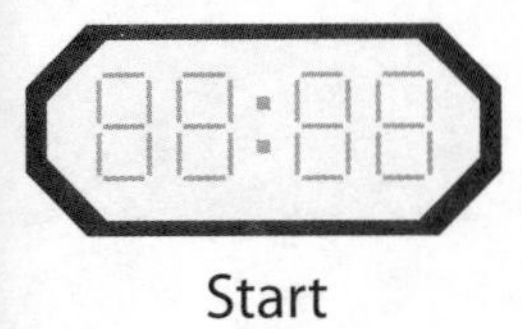

Start

6	3	2				9	1	
	9	7		1	5	4		
	4		9		3		8	7
3	1	6	2				7	
			7	5	6			
	5				4	2	6	9
	8		5		2	3	9	
		3	4	6		8	5	
	6	9				7	4	2

End

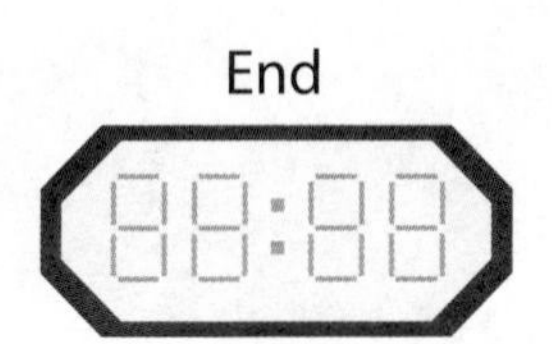

Level # 4

The Warm Up Puzzle 39

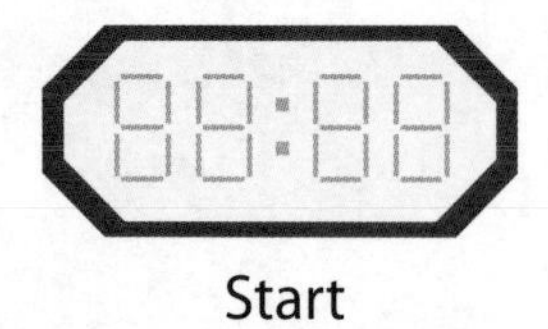

Start

7	1			2	8		6	5
2	8					3		7
	4			1	6		8	2
1		8					9	4
4	5		9	8			3	1
	7	3				2	5	
	3	1	4		2			6
6	2			3			4	9
8			6	7				3

End

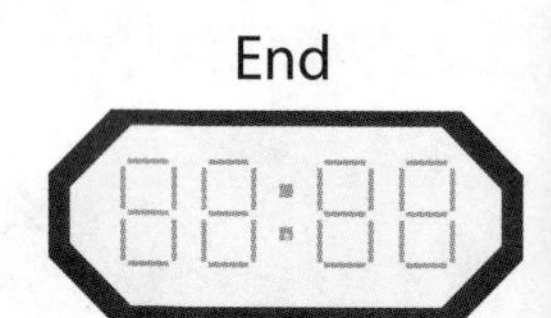

Level # 4

The Warm Up Puzzle 40

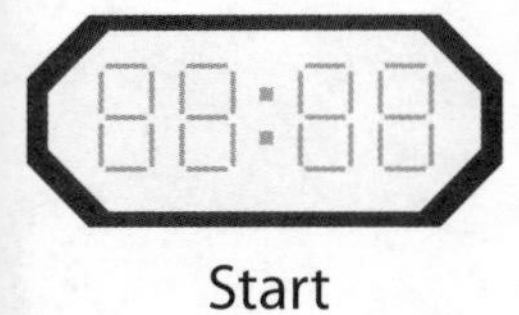

Start

6		5		4	7		1	
		8		1		5		
1	4		8		5		9	3
	6	7		9		4		1
5			7		1		6	9
	1		6		4			
7		6		3	8		5	4
	5		4	7		6		8
4		3			6	1	2	

End

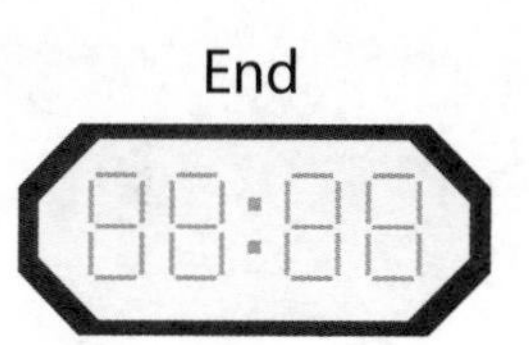

Level # 4

The Warm Up Puzzle 41

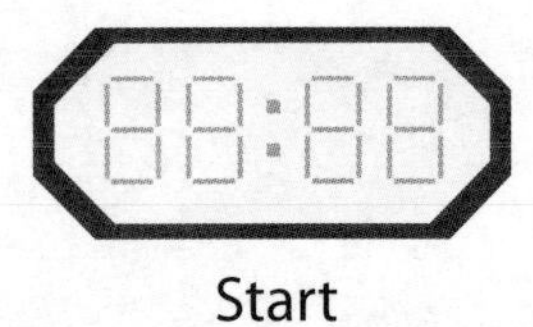

Start

6		2		4		5		9
	8		9		2		6	
9		1		5		8		2
	5		4		8		1	
	6		3	1	9		8	
1		8		6		3		4
	7		1		4		5	
5		9		8		1		7
	1	3		7		6		8

End

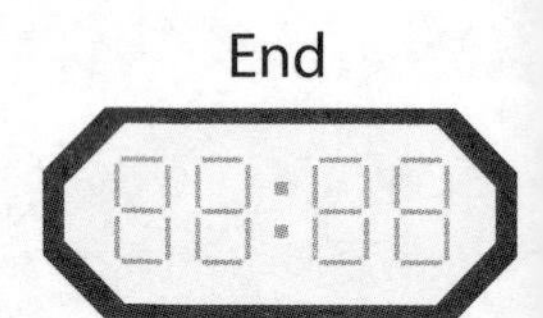

Level # 5

The Warm Up Puzzle 42

Start

5	9	7	6	2	8		3	
1		3	4	9		5		
	4						2	9
	3			6	9	8		2
	6			8			1	
7	8		3		2			5
8		6					5	
		4		5	6	3		7
3	5	2		7	1		9	

End

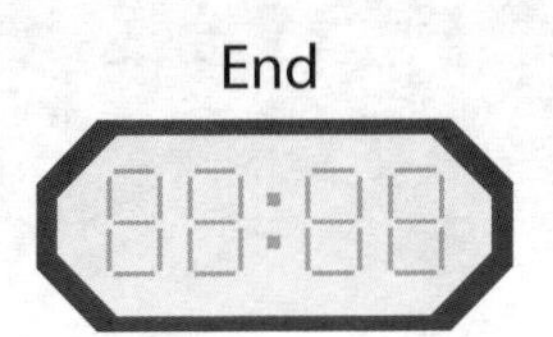

Level # 5

The Warm Up Puzzle 43

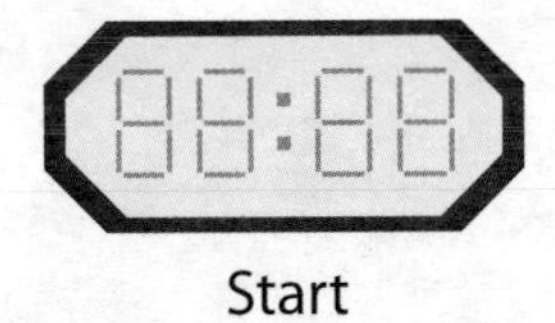

Start

9		6	5				2	8
		8		9			5	6
5	4		7				3	9
		7			4	3		
1	6		3	7	2		8	4
		4	6			2		
4		3			7		9	2
8	2		4	3		6		
6			9		8	5		3

End

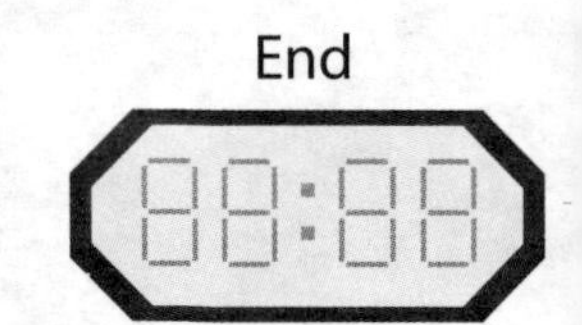

Level # 5

The Warm Up Puzzle 44

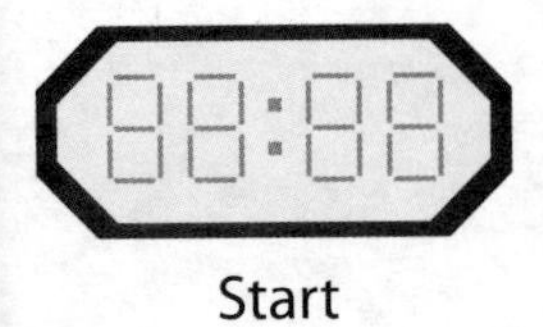

Start

3		5		1	4		2	
	4		7	3		6		5
2			5		6			8
6		3		8		5	7	
	5		4	2		1		6
1	8		6				9	
			1		8	9		2
5	1	2		4				7
	9		2		5		3	1

End

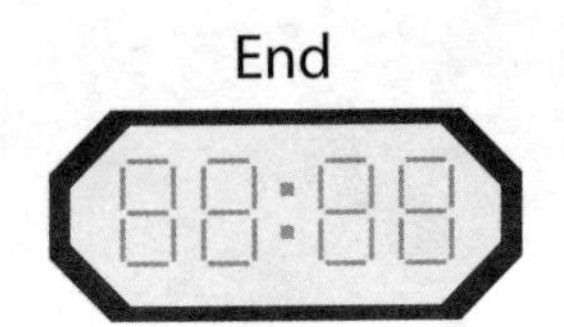

Level # 5

The Warm Up Puzzle 45

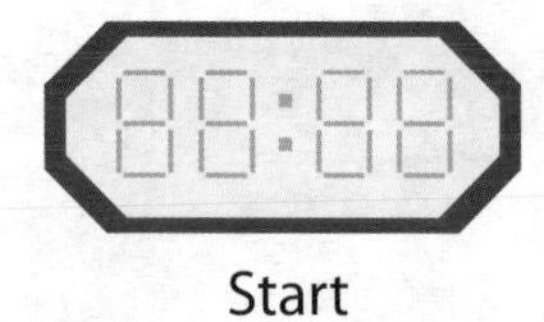

Start

1		5		4				6
	6	9	1		8	7		2
4		2		6	7		1	5
	9					2	3	
7		1		3		5		8
	4		8		2		6	
8						6		3
	3	7		8	1		5	
9		6		2	4	8		1

End

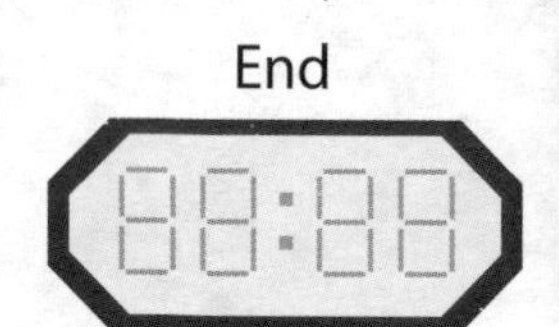

Level # 5

The Warm Up Puzzle 46

Start

	6	4					7	5
	1		7		4		8	
5	7			2			9	
		6	3		5	9		
3	5	1	9	6	7	8		
8	9	7	4		2	6		
6			1		9			8
	3		2		8		6	
	8	9					2	4

End
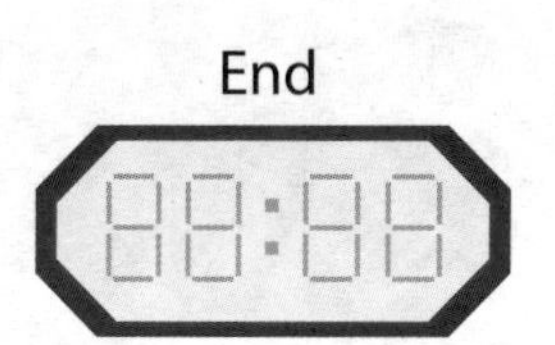

Level # 5

The Warm Up Puzzle 47

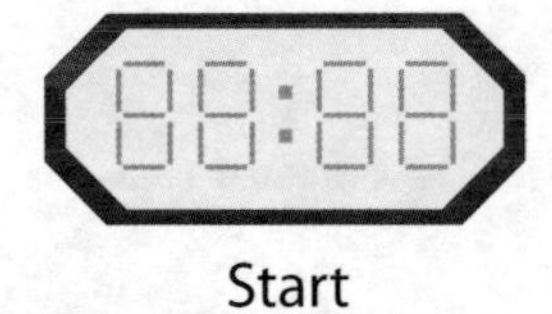
Start

		5	2			1	6	4
8			6	4			5	
	6			5	9			3
5			9			3	4	
	4		8		3		2	5
3	9	2			4	7		
	1		3		5			7
7					6	5	1	
6	5	9		8		4		2

End
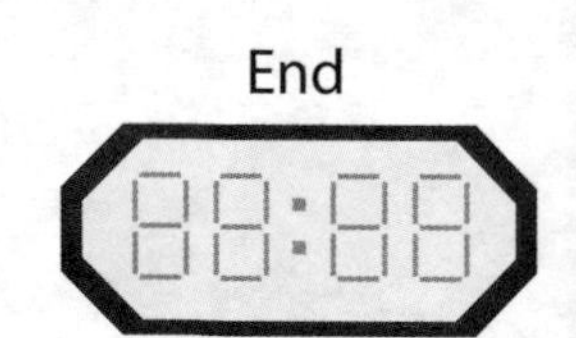

Level # 5

The Warm Up Puzzle 48

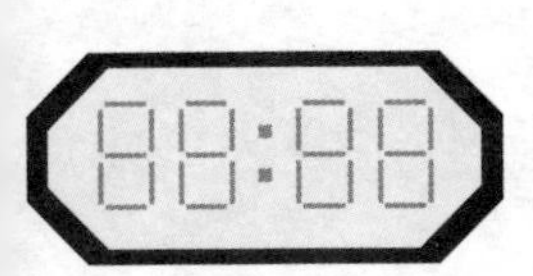

Start

	4		9		7	1		2
9		2					3	
7		3			2	5		4
	2		5	8		4	1	
		6	4		9	3		5
	5	9		2	1		7	
8		4	6					7
	3					6	8	1
6		1	2	5			4	

End

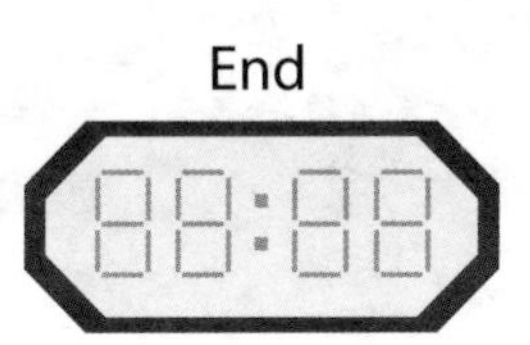

Level # 5

The Warm Up Puzzle 49

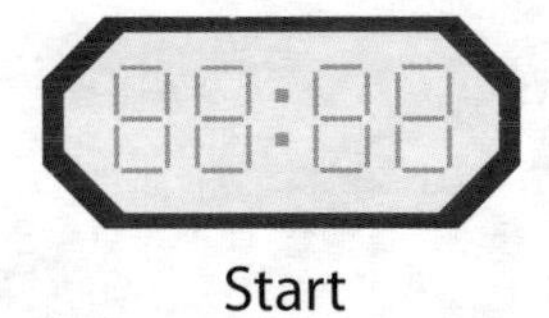

Start

	8	5					7	
7		3		6		1		8
	1		7		3		6	4
2	5	4		3		9		7
	6		9		5		8	
8		9		7		6		5
	2		3		6		9	
5		6		9		4		2
	9		4		7		5	

End

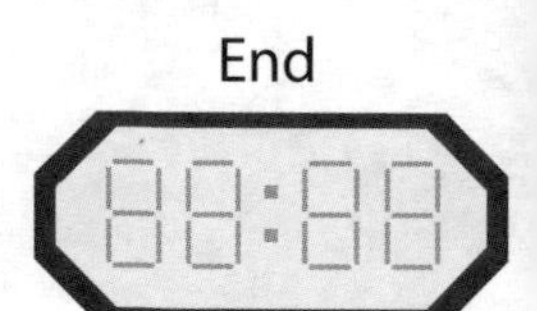

Level # 5

The Warm Up Puzzle 50

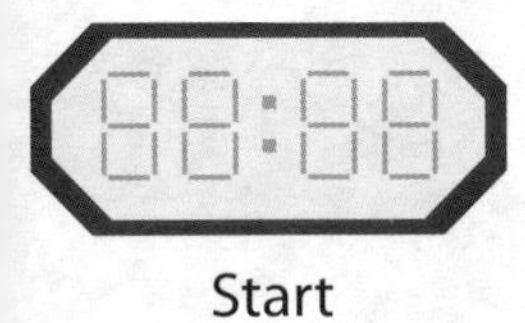

Start

7		2	6		9	5		3
		3	1		4	8		
8		9		2		4		
1				3		6	7	
2	9						4	
3	7	8		1				2
9	2			6		1		
4	8			9	1		3	
6		1	8		7	2		5

End

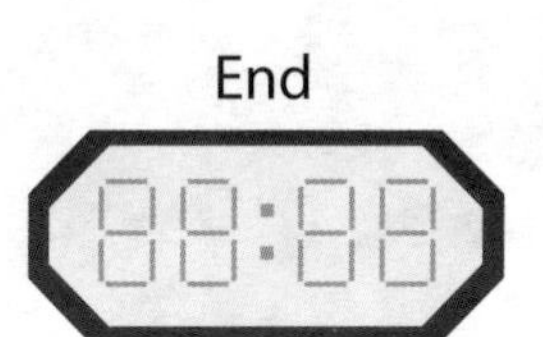

Level # 5

THE WORK OUT

The Work Out Puzzle 1

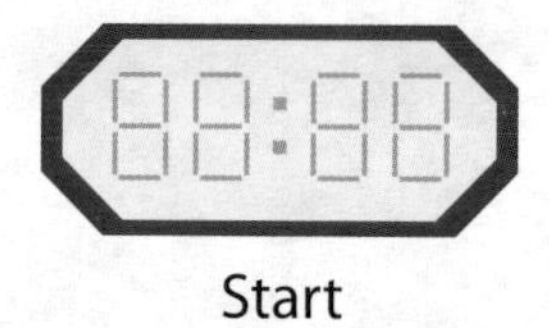

Start

5		3		8			7	
	2		4		9			8
8	1		3		7		4	
	6		8	9		4		7
	3		2		4		9	
4		8		7	3		6	
	5		7		8		2	
3		6	5		1		8	
	8			3		7		5

End

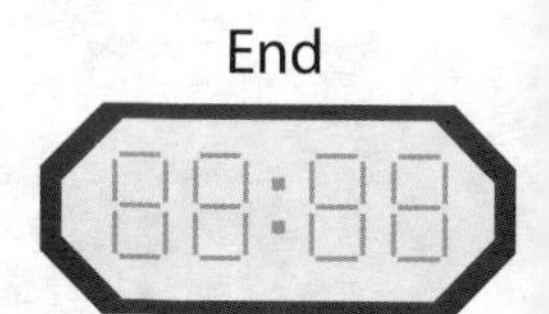

Level # 1

The Work Out Puzzle 2

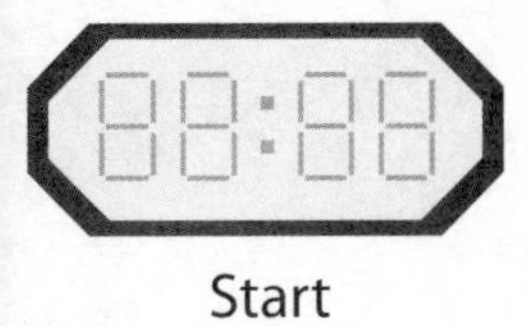
Start

2	3	8	6		5	1	4	7
		9		3		8		
7			2		1			9
8		3				5		4
	4						1	
1		2				9		6
4			3		9			2
		7		5		6		
5	9	6	1		7	4	3	8

End
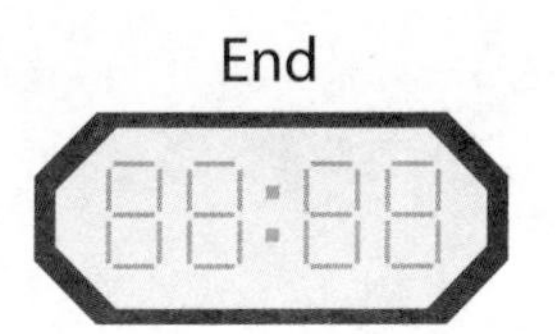

Level # 1

The Work Out Puzzle 3

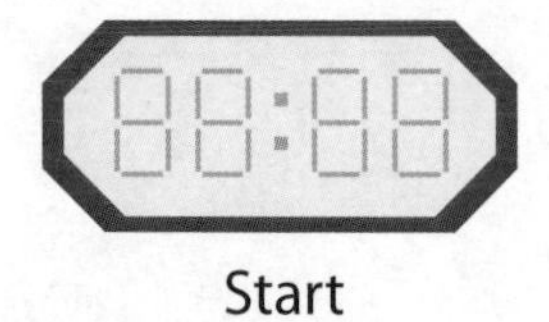

Start

	5		9		8		7	
6		8		4		5		9
		4	5		3	1		
8			2	7	5		1	4
	4	7				2		
5			4	3	1		6	8
		6	7		4	3		
3				5			4	1
	8		3		2		9	

End

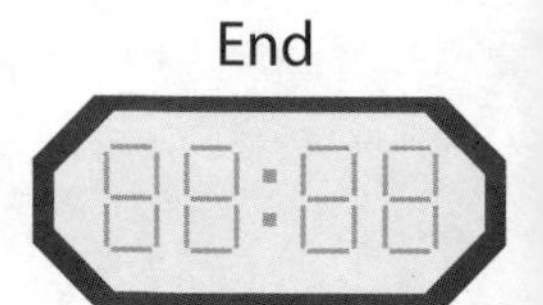

Level # 1

The Work Out Puzzle 4

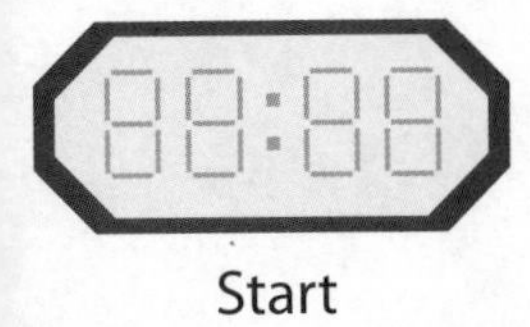

Start

3		1		7			5	
	7		4		2	9		3
8		4			5		1	6
	4		5	3				7
6		3		2		1		8
		7		6				9
	1		6		7	3		
9		5		8		4		1
	3		9		1		6	5

End

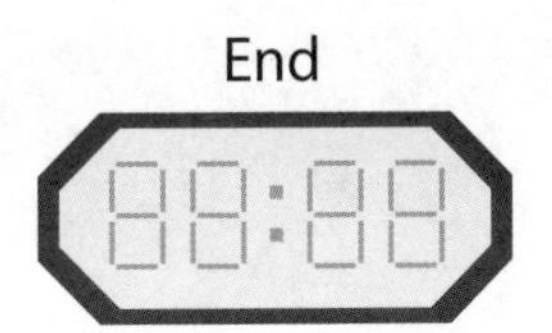

Level # 1

The Work Out Puzzle 5

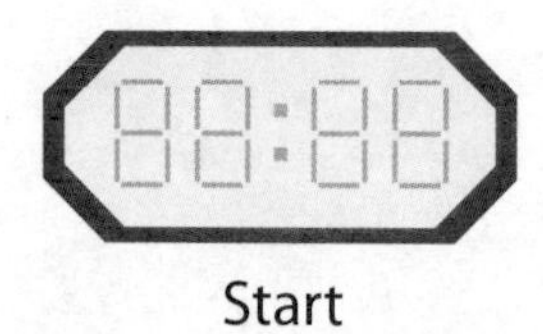

Start

8		7	2		4			9
3	9			1			5	6
	2		9		3		4	
6			3		1			7
	5			9			2	
2			8		5			4
	7			4		8	3	
4	1			8			7	5
9		2	5		7			1

End

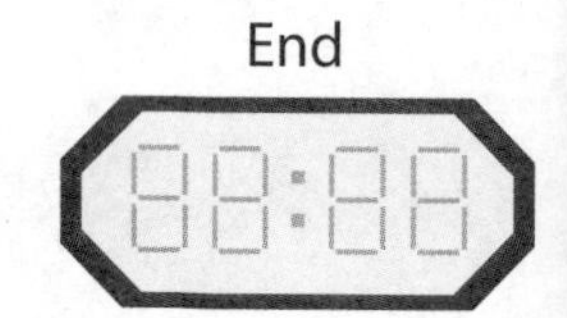

Level # 1

The Work Out Puzzle 6

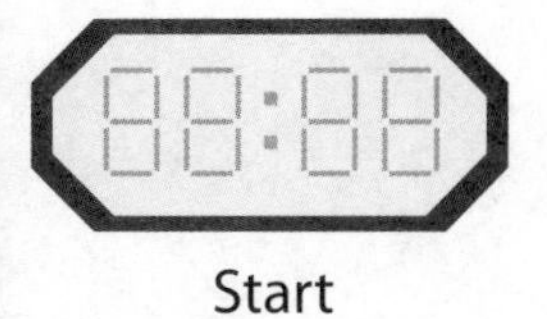

Start

	1						6	3
	6		5				7	4
3			4	1		2	9	5
6					5		4	1
9		1				6		7
8	7	4	1					2
1	2	6		4	3			8
7	9				1		2	
5	4						1	

End

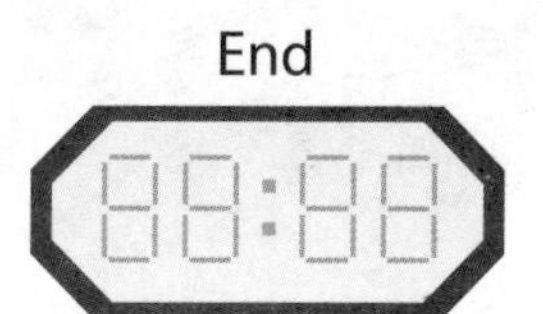

Level # 1

The Work Out Puzzle 7

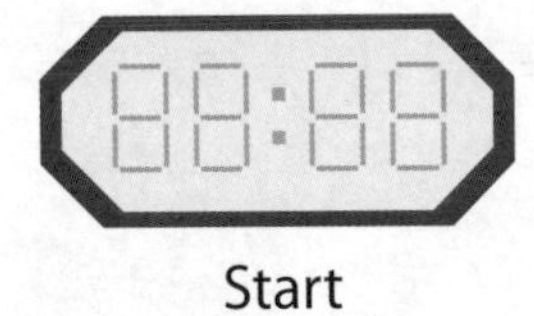

Start

6		8		4		7		2
	4		5		2		1	
1			7		6			8
	7	2		5		9	6	
3			2		4			7
	8	1				3	2	
9			3		8			5
	6		4		9		8	
8		7		2		4		6

End

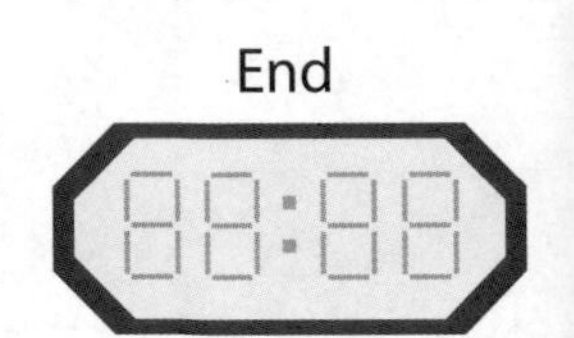

Level # 1

The Work Out Puzzle 8

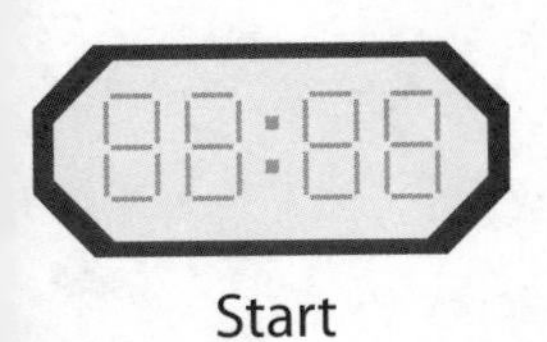

Start

8	4			2			3	9
	2				3		1	
5			8		6			4
		8	6	1	9	5		
1	6			5			7	
		4	2	3	7	1		
3			5		4			7
	8		9		2		5	
2	7						9	8

End

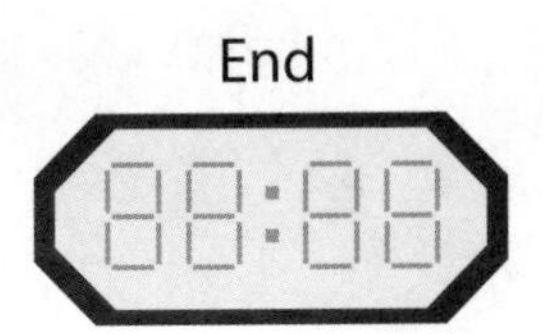

Level # 1

The Work Out Puzzle 9

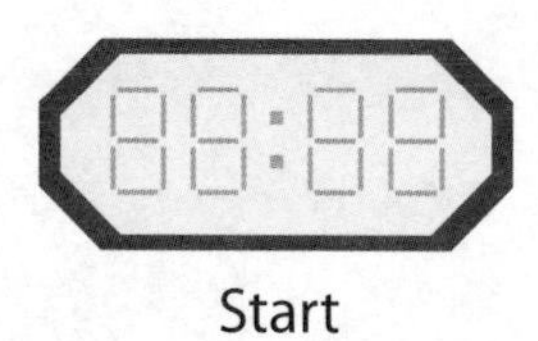

Start

3			2		7			9
	4	7		5		1	3	
	5		3		9		6	
7			1		2			8
	2		7		4		9	
4			9		5			6
	7		5		1		8	
	9	5		2		7	1	
6			4		8			5

End

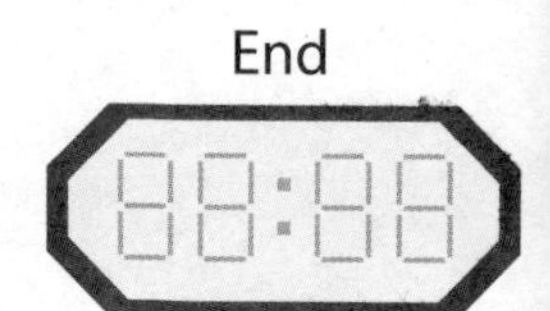

Level # 2

The Work Out Puzzle 10

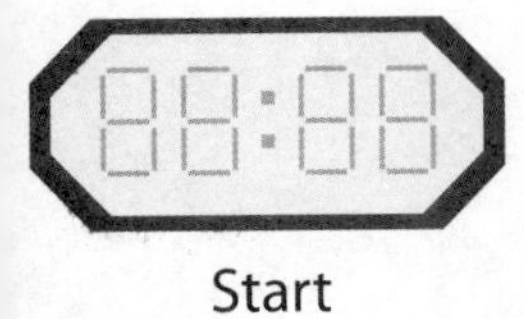

Start

7	4	6				1	3	8
5			8		4			7
3		2				5		4
	7		3	6	8		4	
	6		9	2	1		5	
4		3				9		1
9			5		7			2
6	2	7				4	8	5

End

Level # 2

The Work Out Puzzle 11

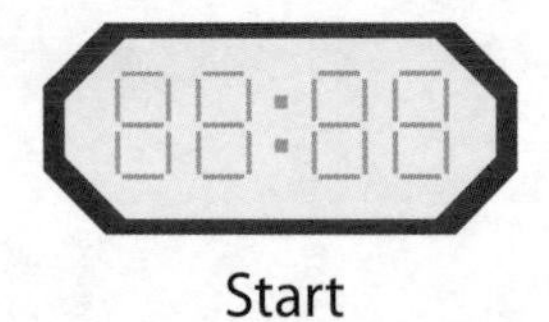

Start

6			4		2			3
	2	9		3		5		4
	5		9		8		6	
8		1				2		9
	9		2		3		7	
2		7		1		6		5
	4		7		5		1	
		3		2		9		7
5			3		1			8

End

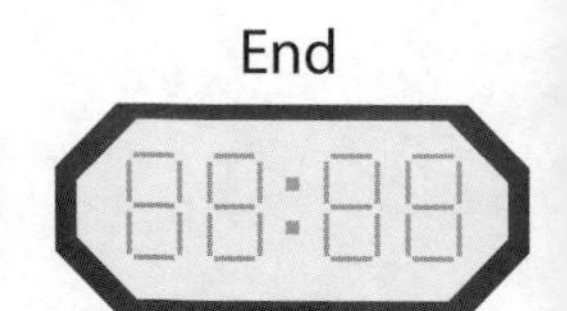

  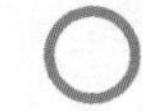  

Level # 2

The Work Out Puzzle 12

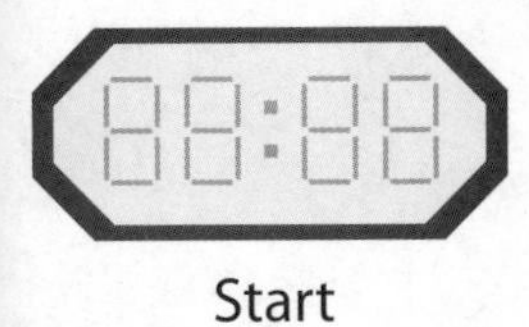

1		2				4		6
	6			1	9	8		5
	8			6	4			1
9		1	4		6			2
	4			5			6	
5			9		8	7		4
3			1	4			5	
		5	8	7			4	
8		4				1		7

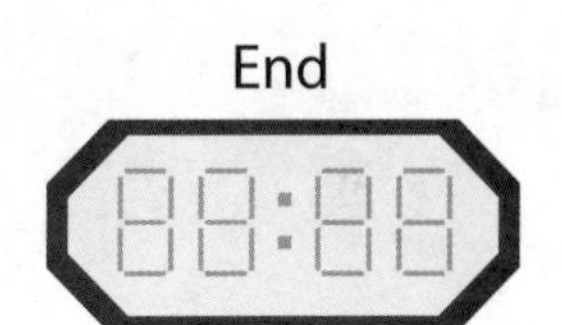

The Work Out Puzzle 13

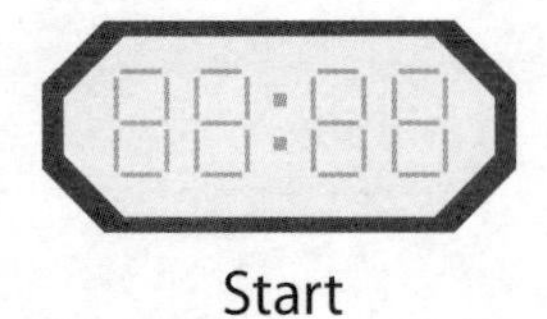

Start

4		6		7		1		2
3	8		9		5		4	6
7		9				5		
	6		4		7		1	
8		1				9		4
			3	8	1			
		8		5		4		
6			1		8			7
5		7		3		8		1

End

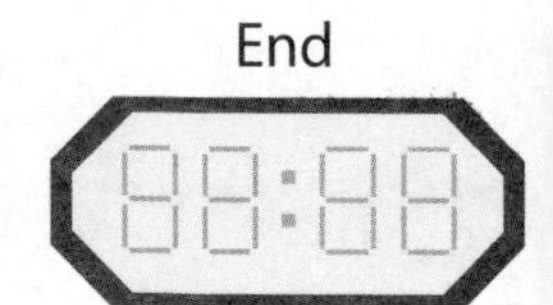

    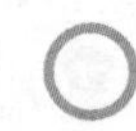

Level # 2

The Work Out Puzzle 14

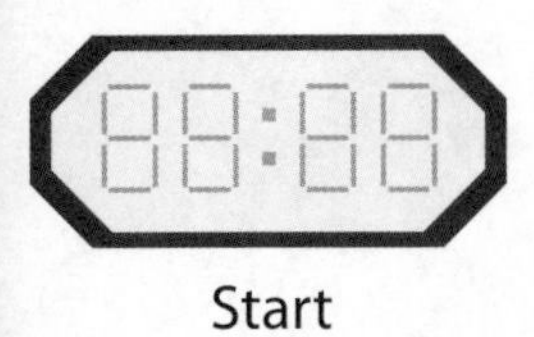

Start

7	3	6	5	9				1
1	4						9	
5	8		7				4	
6			9			5	8	2
8		4				9		3
					7			4
	6				9		3	8
	9						5	7
2				5	1	4	6	9

End

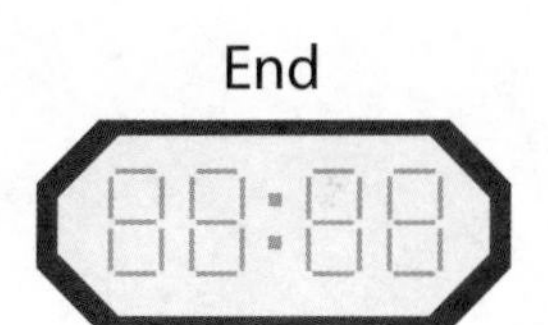

Level # 2

The Work Out Puzzle 15

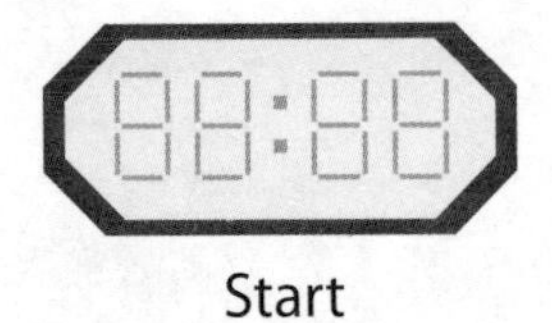

Start

	1		4		2		3	
4				7				9
		8	1		3	6		
6		2		8		9		1
	8		9		5		2	
3		5		2		8		7
		4	2		6	1		
1				3			6	5
	3		7		9		8	

End

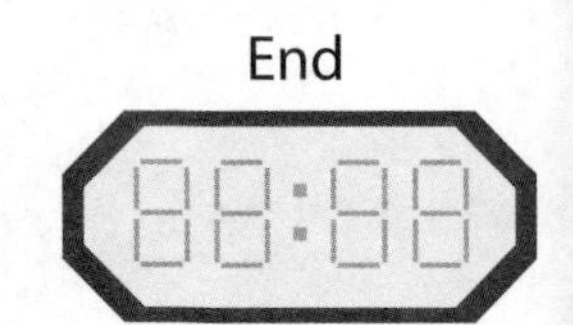

Level # 2

The Work Out Puzzle 16

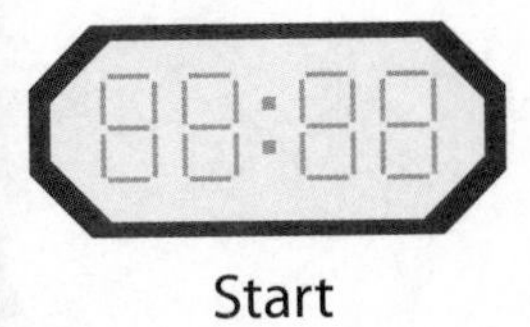
Start

2		3			7			5
1		4			5			7
7				2	6	8		3
6		9		8	3			2
	5	1				4	9	
			5			7		6
		6	2	5				1
9			3			2		4
5			7			6		9

End
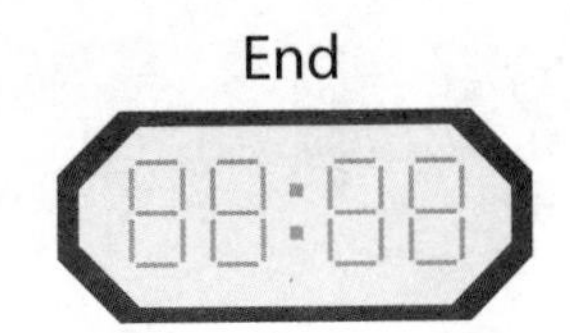

Level # 2

The Work Out Puzzle 17

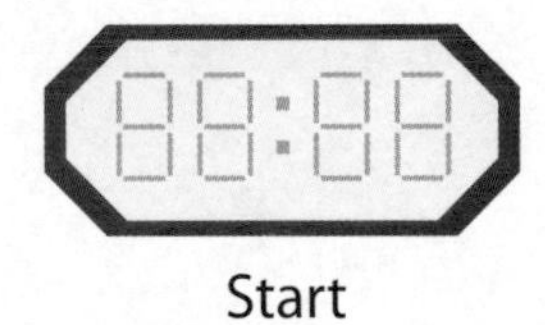

Start

	2	9				6	4	
8	4						7	1
	6		8		1		5	
		6	4		9	5		
9			1		7			6
		8	5		3	2		
	8		2		6		9	
2	9						6	3
	3	7				8	2	

End

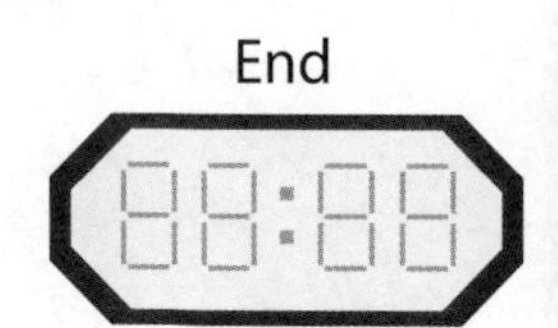

Level # 3

The Work Out Puzzle 18

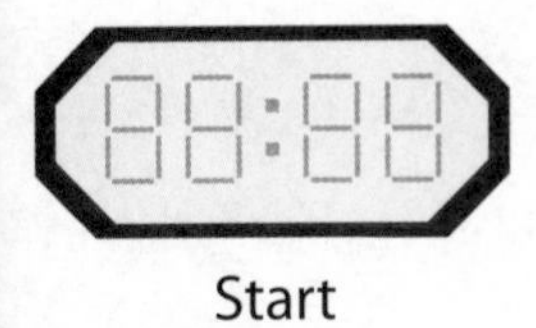

Start

		6		5		3		
			7	4	3			
8		4	1		6	7		5
6			4	1	2			7
		1	3	8	7	2		
3								4
7		8	2		1	9		6
			8	9	5			
		2		7		1		

End

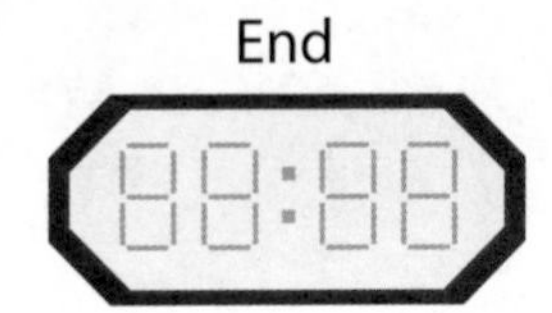

Level # 3

The Work Out Puzzle 19

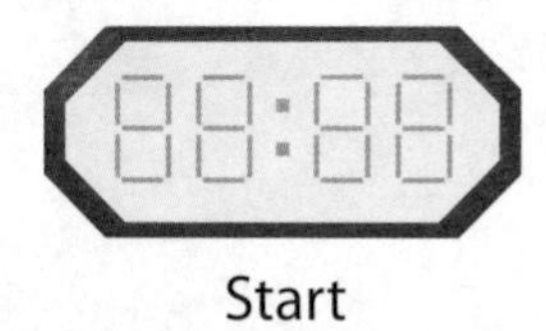

Start

	8			9			6	
		7		6		1	2	
1			5		3			8
	6	5	8		2	9	3	
3			6	1	7			
	2	1	3		9	6	7	
4			2		5			6
		2				5		
	3			7			4	

End

Level # 3

The Work Out Puzzle 20

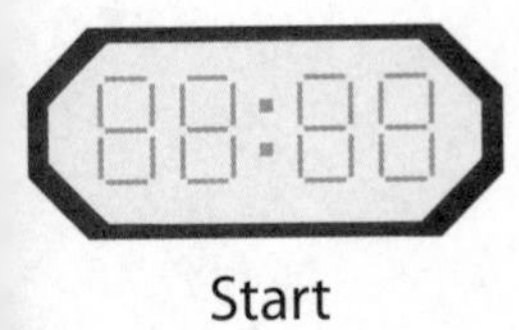

Start

7			3		2			4
8	9			1			6	2
4			9					8
9		4				6		7
	2	8				3	4	
1		5				2		9
3			1					6
5	1			9			7	3
2			6		7			5

End

Level # 3

The Work Out Puzzle 21

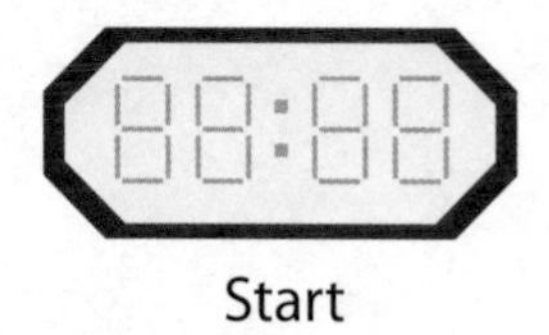

Start

	2			5			3	
8			3		4			1
		4	6	8	1	7		
1	9						6	5
		6		9		2		
2	5						4	8
		9	2	6	8	1		
3			7		5			9
	1			3			2	

End

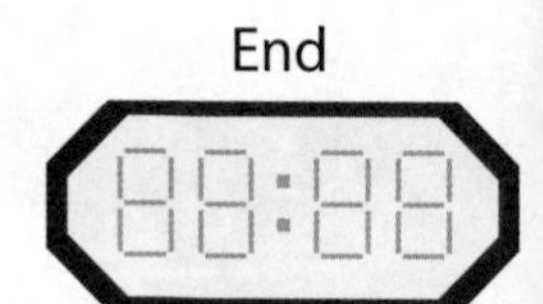

Level # 3

The Work Out Puzzle 22

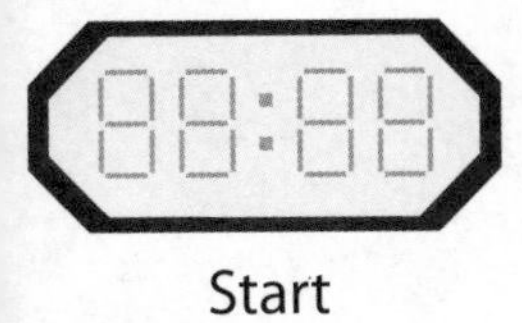

Start

	8	5		7		2	9	
3		2	9	8	5	1		4
			1	3	2			
5			2	1	3			9
		6				3		
2			6		8			7
4		9				8		6
	5	3		2		4	7	

End

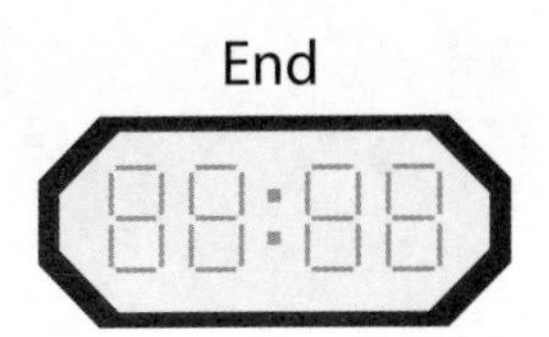

Level # 3

The Work Out Puzzle 23

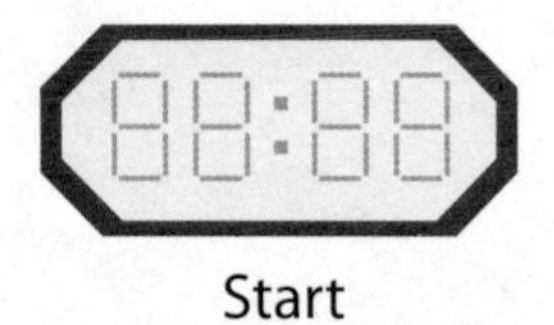
Start

7			1				6	2
9					7		5	4
	8			2	3			
			5		6		1	
	5	1				7	4	
	9		7		4			5
			2	7			3	
5	2		6			4		1
1	3			4	5			7

End
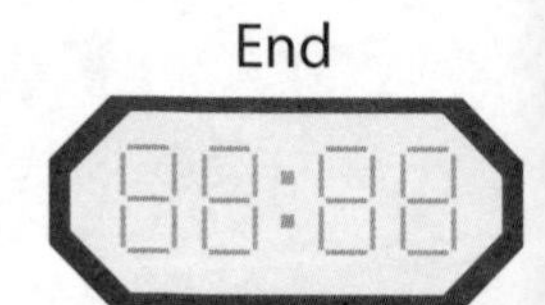

Level # 3

The Work Out Puzzle 24

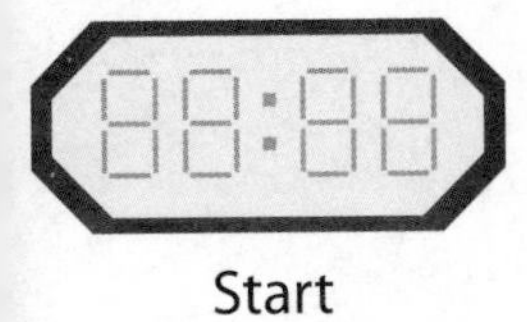

Start

	6		5			2		4
2		8				7		1
		4		2			8	
6			2		4	8		
9		5		1				7
	8		9				2	
8		7		4			5	6
	4		6		3	9		
1		6			5			2

End

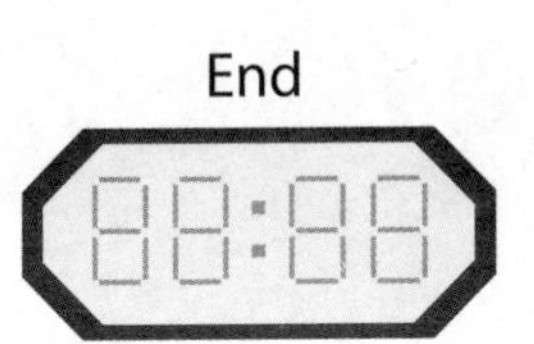

Level # 3

The Work Out Puzzle 25

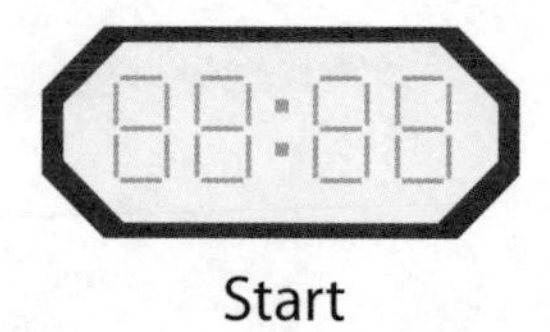

Start

	7	4		1		9	6	
9		6	8		2	3		5
	8						2	
			7		3			
	2		4		8		7	
			1		9			
	9						5	
8		1	5		7	6		2
	5	7		3		8	1	

End

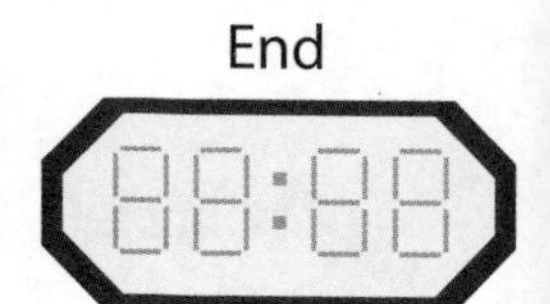

Level # 4

The Work Out Puzzle 26

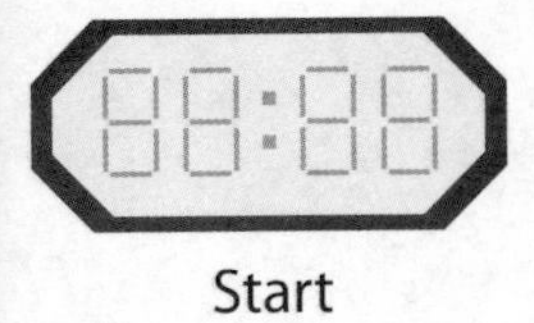

Start

4	2	3	1	6	8			
		7						4
					3	6	2	1
2	7	9				3	8	
		6		9		2		
	5	4						
			5			4	9	8
3						1		
9	8	1	7	4	2			

End

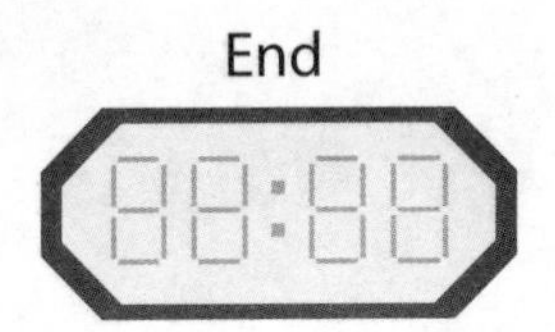

Level # 4

The Work Out Puzzle 27

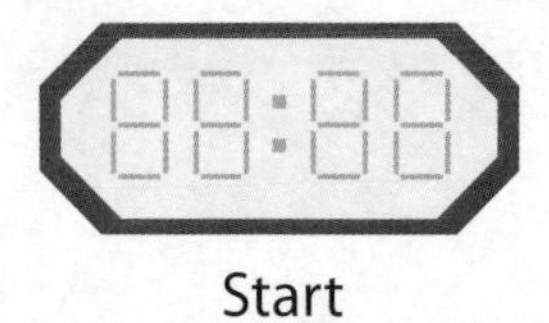

Start

6		4		3			1	
	8		1	4		2		6
3		1				4		7
			6			3	8	
	3			5			7	
	7	6			3			
1		2				5		3
8		7		2	5		9	
	5			1				8

End

Level # 4

The Work Out Puzzle 28

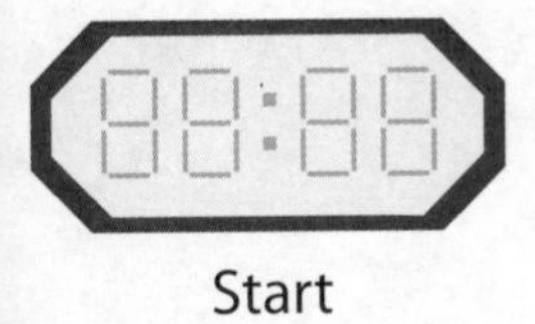

Start

3					2	1		9
8			4	6		7		
6			1		9		8	3
					5		4	6
	5		9		8		1	
7	1		6					
5	8		2		1			4
		4		5	7			2
		9	3					

End

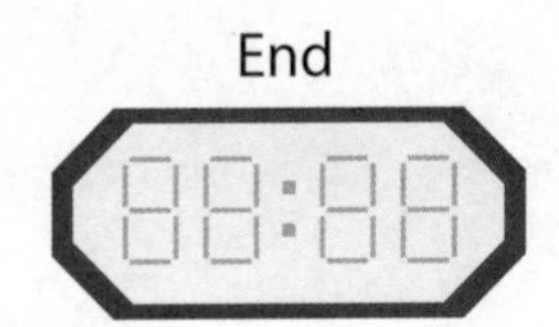

Level # 4

The Work Out Puzzle 29

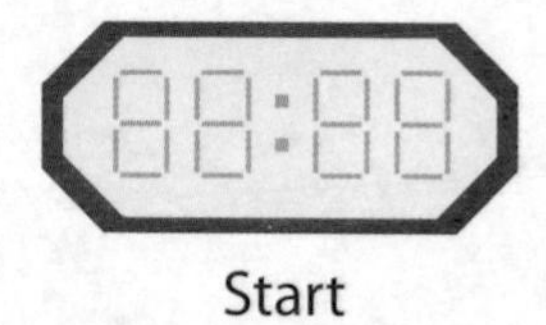
Start

3								2
	7		6		3		1	
		8	4		9	3		
7			5	9	6			4
		9		1		6		
5			2	3	4			7
		4	3		5	2		
	5		7		1		9	
8								1

End
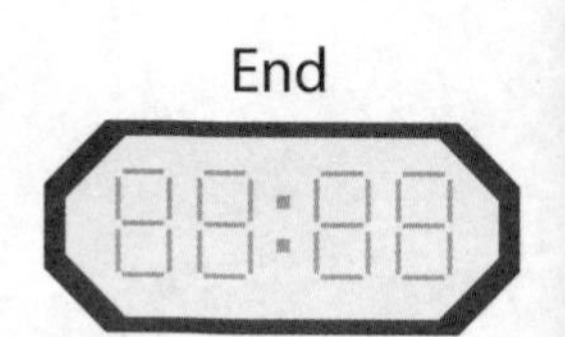

Level # 4

The Work Out Puzzle 30

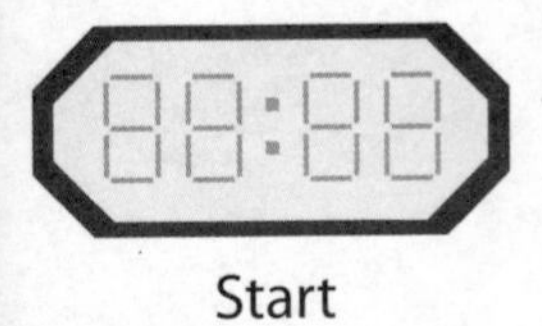

Start

				6			3	2
		2		5	9		4	8
9	6						1	5
					4	2		6
		6				1		
4		1	6					
8	9						6	7
1	2		7	8		3		
				9		8	2	1

End

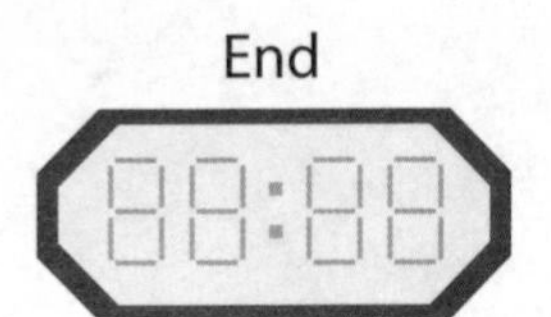

Level # 4

The Work Out Puzzle 31

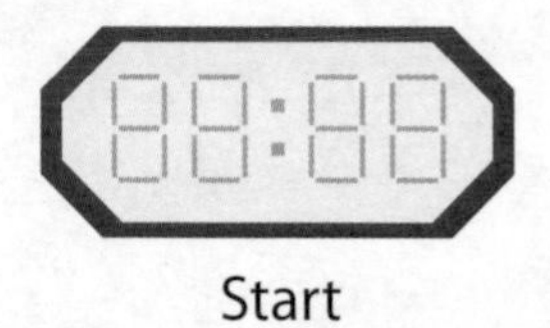

Start

		8		2		6		9
	9						7	
5			9		7			8
	3	6	7		1	5	9	
			2		5			
	5	2	3		6	7	4	
1			6		9			4
	4						2	
		5		3		1		

End

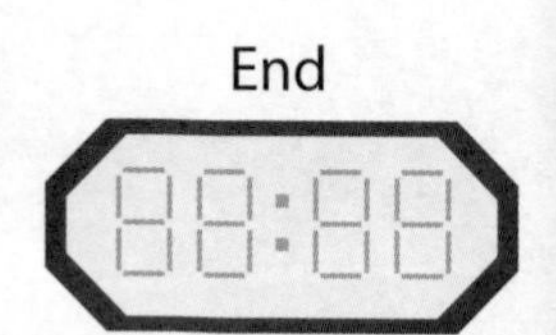

Level # 4

The Work Out Puzzle 32

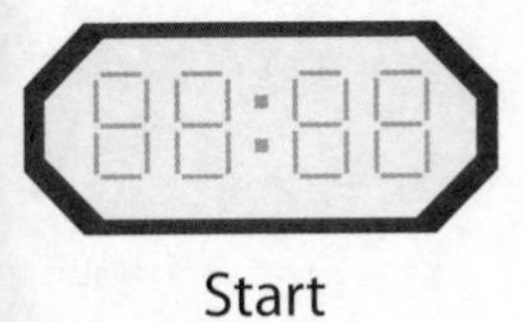

Start

2		8	5		1	7		4
				3			6	
1		6				9		
				8	6		4	9
		5				3	1	
9	6		3	1				
		9				8		2
	2			9				
5		3	2		8	6		1

End

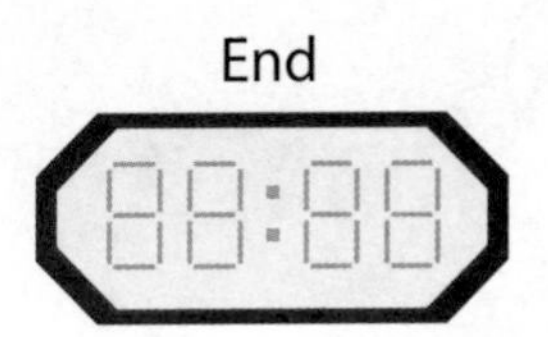

Level # 4

The Work Out Puzzle 33

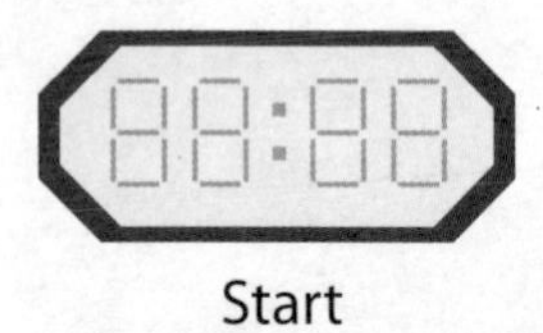

Start

2	9			4			8	5
	7	8				3	6	
		4	6	7	3	5		
	3		5		2		9	
		2	9	1	4	7		
	4	9				8	1	
6	2			5			4	7

End

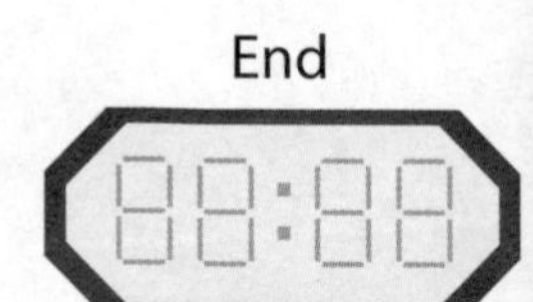

Level # 5

The Work Out Puzzle 34

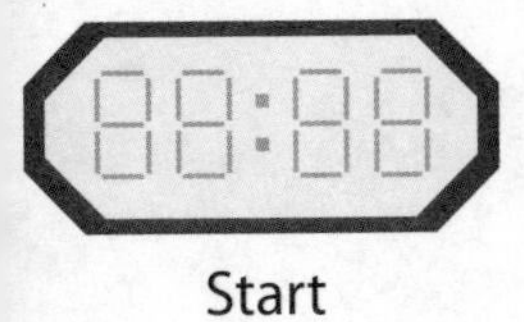

Start

3	5	1		4		6		
	4	8	1		6	3	2	
			8	3	5			
	2						4	
		6				1		
	7						9	
			4	9	7			
	8	9	6		2	4	5	
		2		5		7		

End

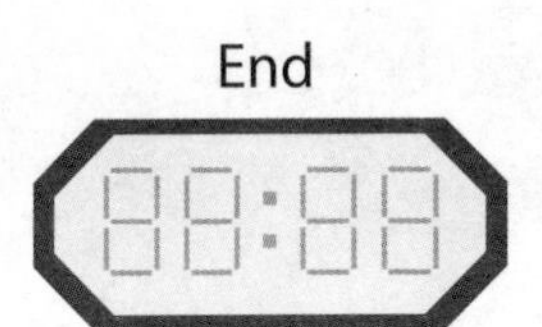

Level # 5

The Work Out Puzzle 35

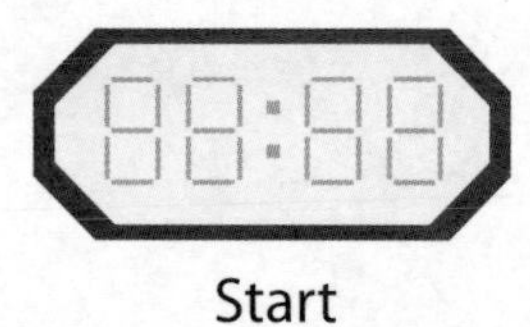

Start

4	2			7			8	5
	8	9				1	6	
1		2	9		8	5		4
	3						9	
		8	4		3	7		
8	5	1				3	4	9
2	9			8			1	7

End

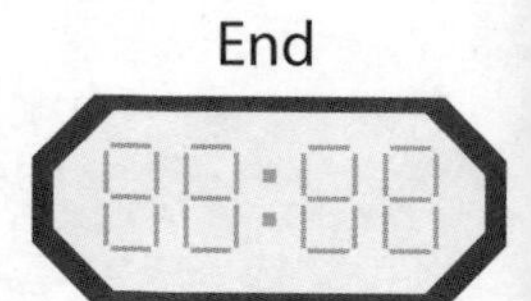

Level # 5

The Work Out Puzzle 36

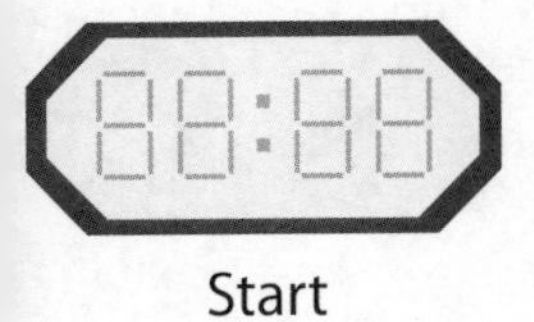

Start

		7	3					
			8		7	9		
	8	5		2		1		7
	9						1	4
	4	8		7		2	6	
2	5						8	
5		1		9		4	2	
		2	1	6	4			
					2	6		

End

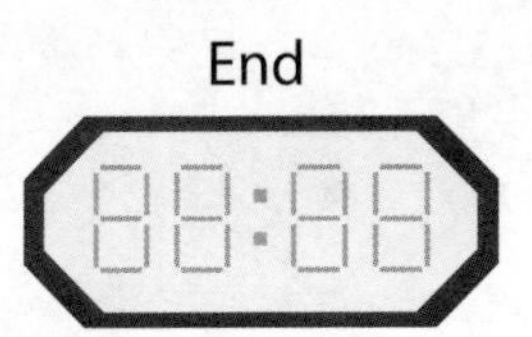

Level # 5

The Work Out Puzzle 37

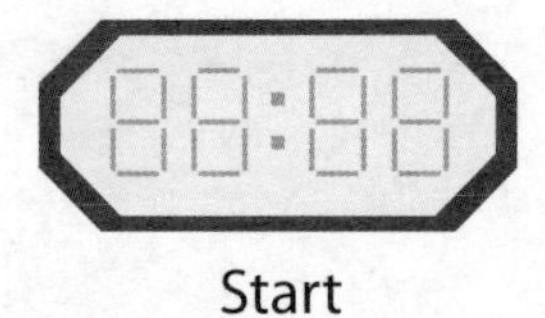

Start

			6	8	3			
9				2				3
8	7		1		9		2	6
	3						8	
1				7				4
	9						6	
7	6		4		1		9	5
4				6				1
			7	5	2			

End

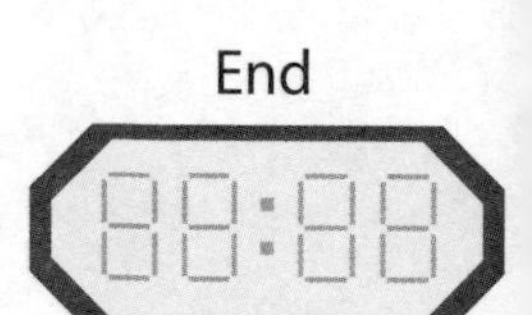

Level # 5

The Work Out Puzzle 38

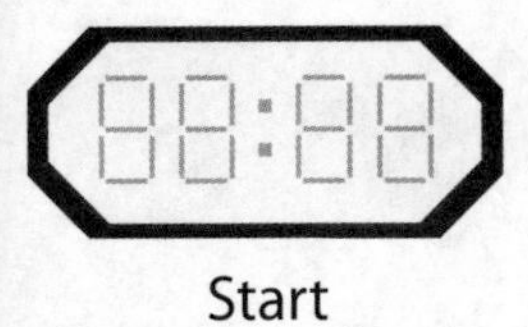
Start

6	4			5			9	7
	9	1				2	8	
		4	9		1	7		
	3						1	
		9	3		6	5		
	7	2	5	4	8	3	6	
4	1			9			2	5

End
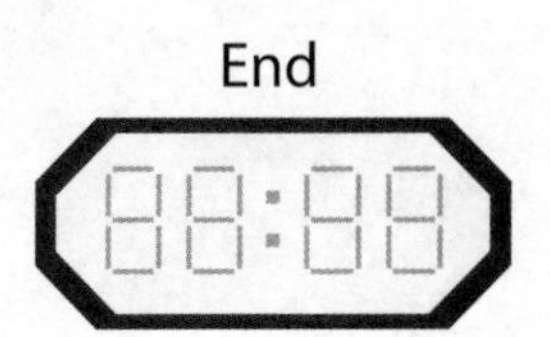

Level # 5

The Work Out Puzzle 39

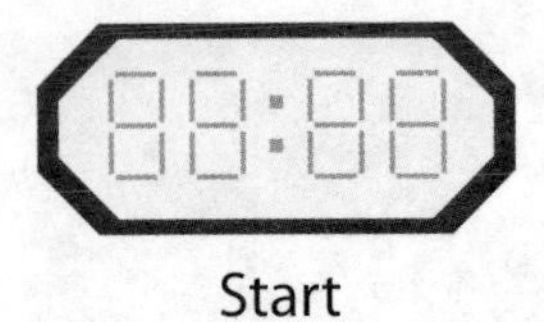

Start

			2	3				7
8	1		5				4	
6	3				9		5	
9			6					
1		5				9		8
					5			4
3	5						9	2
	9				6		8	3
2				5	3		1	

End

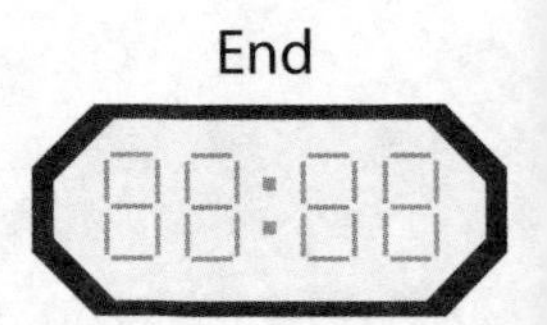

Level # 5

The Work Out Puzzle 40

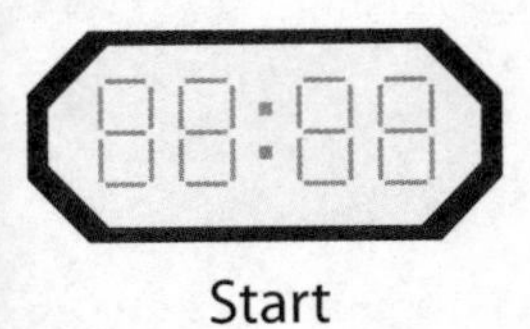

Start

5	2	6			1		4	
3					8		6	1
			5			2		
2			6		9		5	
		7				6		
8	6		7		2			4
					7			
9	1		8					6
	8		4			3		5

End

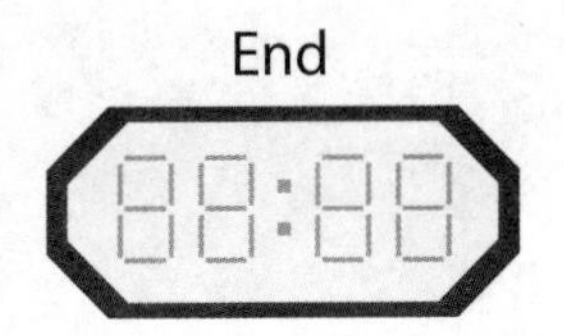

Level # 5

THE MARATHON

The Marathon Puzzle 1

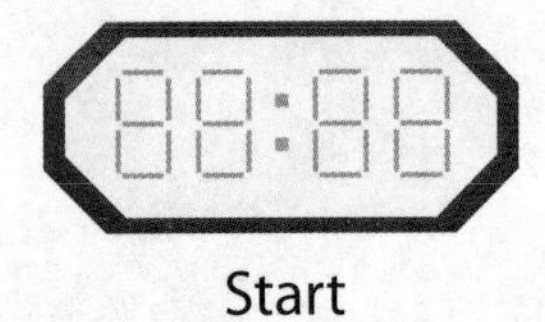

Start

4				5				2
	5				6			4
2		6		3		1		8
9			4				7	3
1				2				9
6	8				5			
		9		6				7
5						8	4	
3		7						5

End

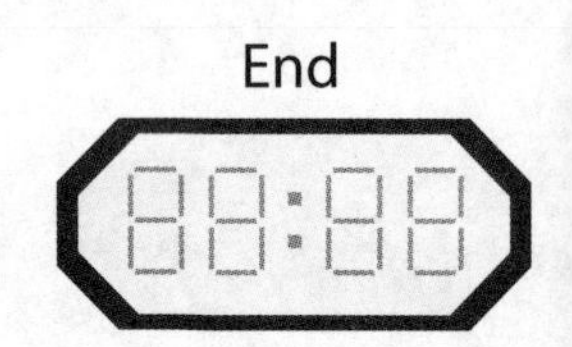

Level # 1

The Marathon Puzzle 2

Start

	7		2	8			5	6
3			7		4			
5	1	2						
	4		3	9				
		7				6		
				1	5		9	
						5	6	3
			1		6			8
8	6			3	2		1	

End

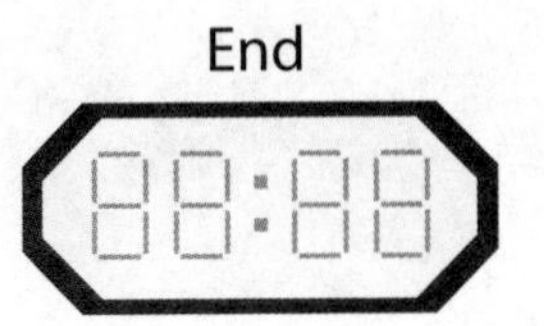

Level # 1

The Marathon Puzzle 3

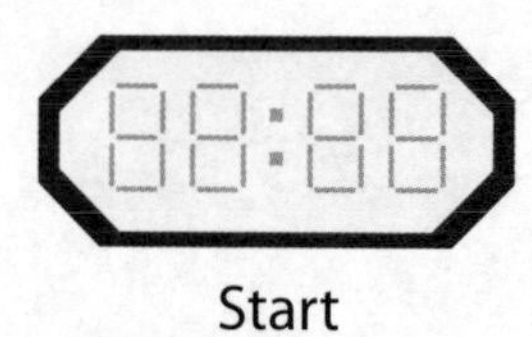

Start

5			3			7	8	
				8		9		
		8				5		2
7			2				9	8
	2		4		7		6	
1	9				5			3
6		2						7
		5		1				
	7	1			4			9

End

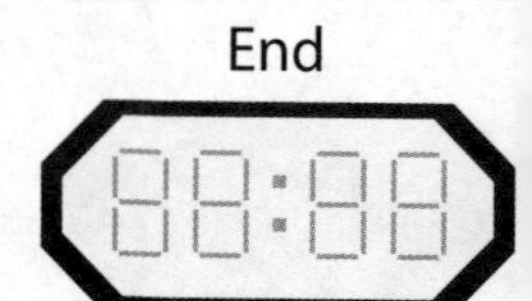

Level # 1

The Marathon Puzzle 4

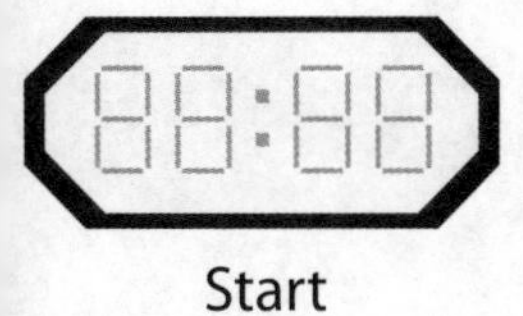

Start

2		6	4		9		1	
7		5		1			8	
	1				5		2	
	2			4			3	
4		9		8		6		
	5		9				4	
	3		2					
				9				8
	4	2				1		

End

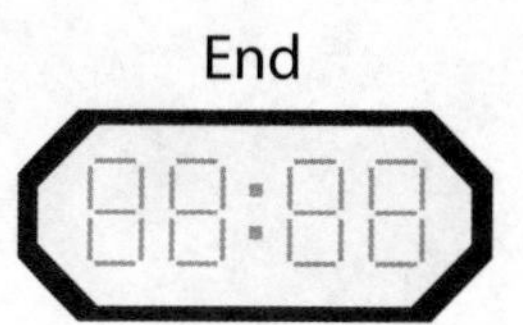

Level # 1

The Marathon Puzzle 5

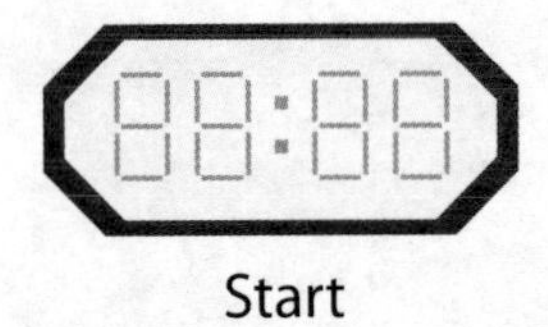

Start

7			6			8		
3			9		4			6
		6		5			1	
6			1			9		4
		5		7		6		
9			4		5			
	6			1				5
			3		2		6	9
		7				2		

End

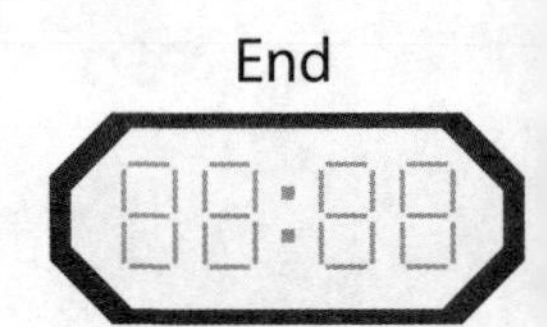

Level # 1

The Marathon Puzzle 6

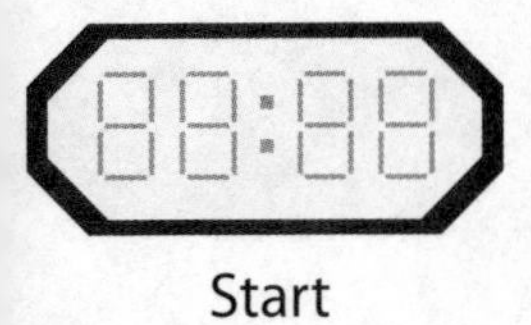

Start

8		6					5	2
5					4	7	9	
	9			5		1		
			3				2	9
6	4				9			
		1		3			6	
	5	2	8					4
7	6					2	3	8

End

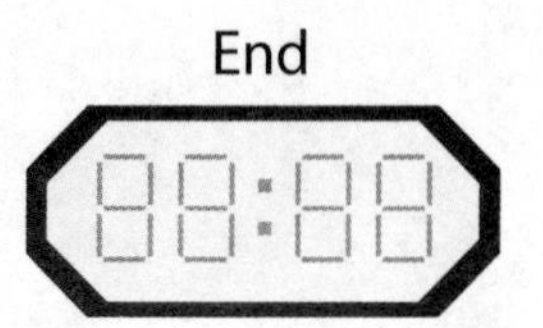

Level # 1

The Marathon Puzzle 7

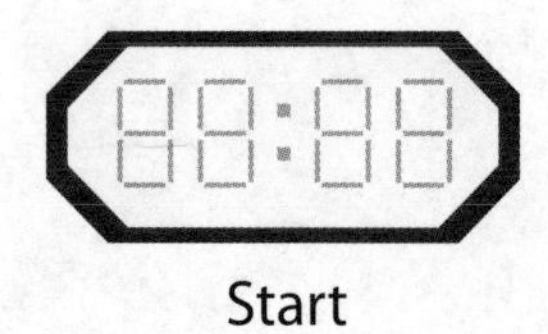

Start

6			4		8	1		
	2	7					3	4
9	4							
				8				9
		3	1		2	6		
8				9				3
							2	1
	6					7	4	
4		1	3		5			6

End

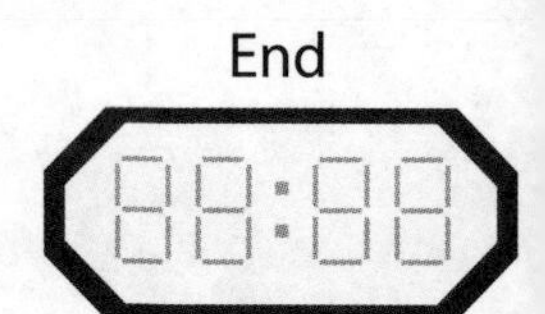

Level # 1

The Marathon Puzzle 8

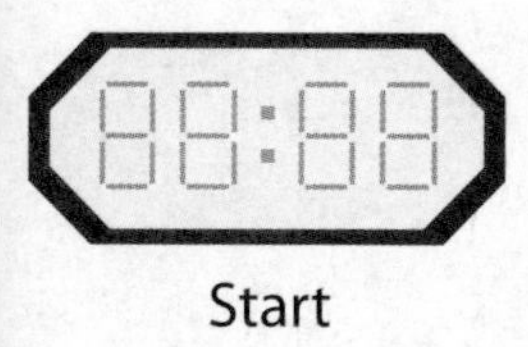

Start

6			2		3			
3		4			1	8		
	5			4				9
		9				2		7
	2			8				
4		3				1		
8				6			4	
7		1			8			2
			7		5			3

End

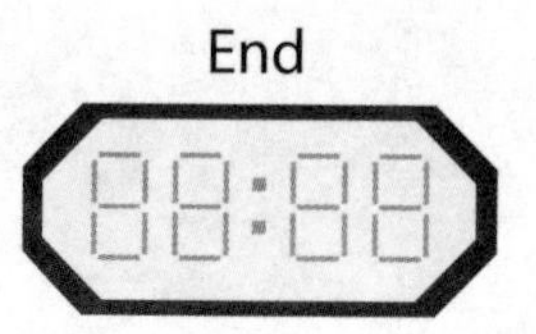

Level # 2

The Marathon Puzzle 9

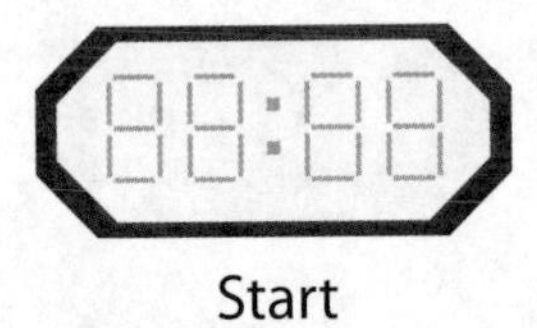

Start

	4			1			3	
1		8	4		9			
	7			6				2
5						4		
	6			5			7	
		9			4			1
7				2				
	3		1		8	9		7
	5			9			1	

End

Level # 2

The Marathon Puzzle 10

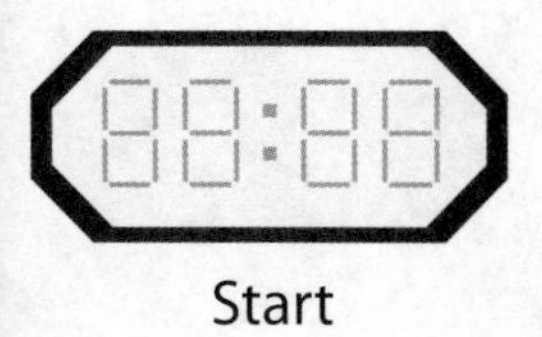

Start

	9	3					4	1
			9		7			2
5	8						6	
				7		3		
6			2		8			4
		7		3				
	4						9	5
2			6		1			
3	7					2	8	

End

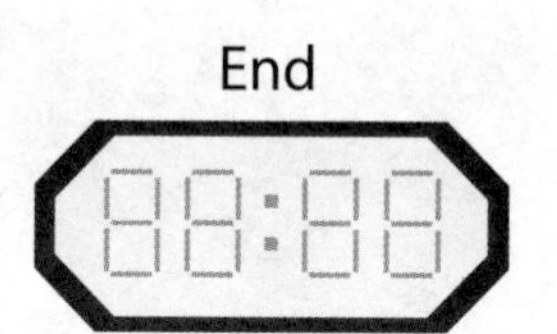

Level # 1

The Marathon Puzzle 11

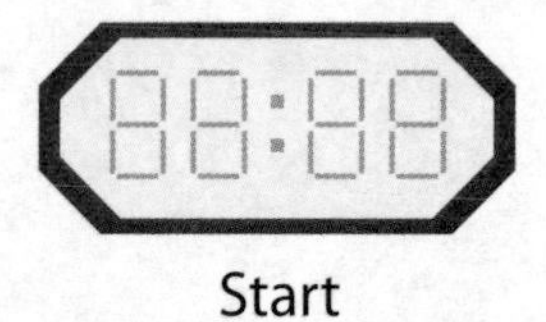
Start

		9	7				4	6
6			5					2
		8			3		7	
7	5							3
		3				9		
							1	4
	3		6			7		
9					5			8
2	8				9	6		

End
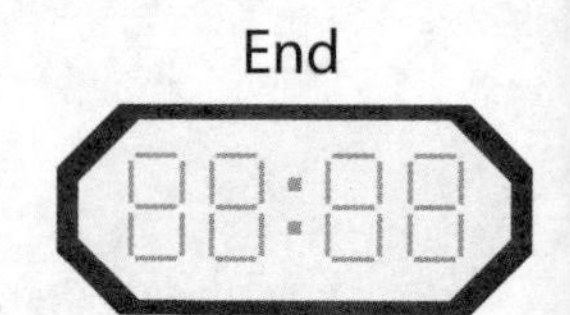

Level # 1

The Marathon Puzzle 12

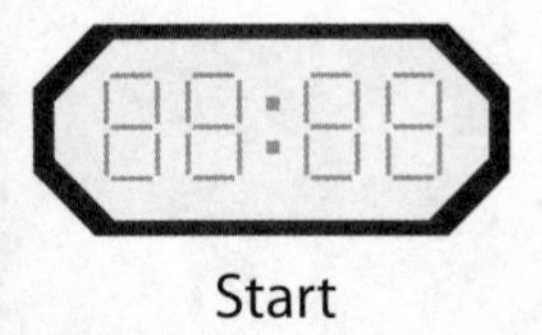
Start

			2			1		
	4			1		7		9
3	6			7				
6			5		1	4		
	7			3			5	
4		2	8		7			
				5			7	6
5		6					3	
		8			9			

End
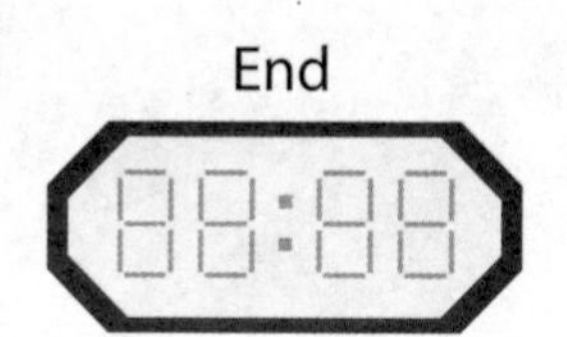

The Marathon Puzzle 13

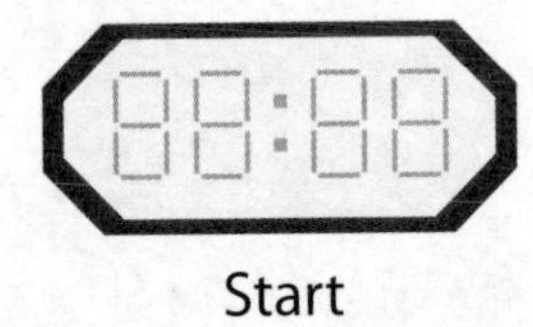

Start

	7			1				
8				2			7	
		2				1		5
	2	6			9			
	3			7			8	
9			1			5	4	
5		9			2			7
	6			4				3
			5				2	

End

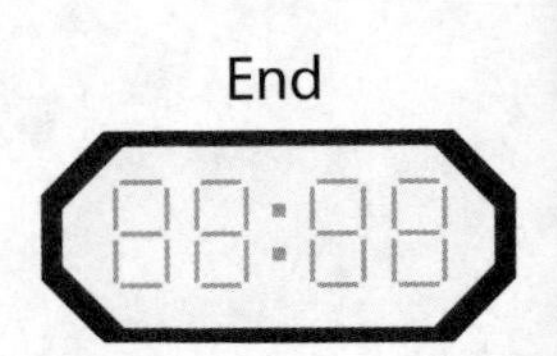

Level # 2

The Marathon Puzzle 14

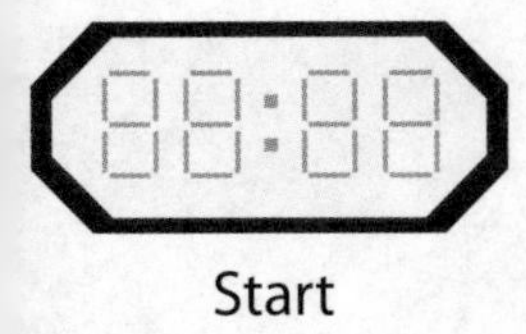

Start

3			7					
7		2	6			3		
	5			4				8
4	2		5					
		9				2		
					3		1	7
2				9			3	
		4			6	9		5
6					8			1

End

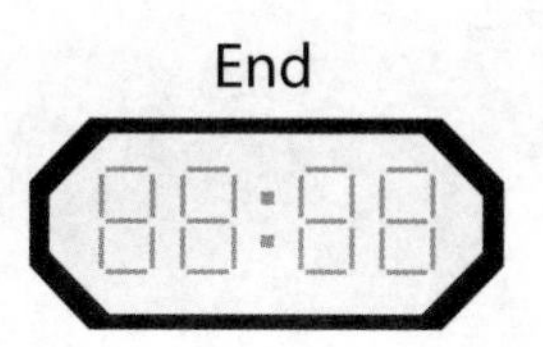

   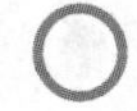 

Level # 2

The Marathon Puzzle 15

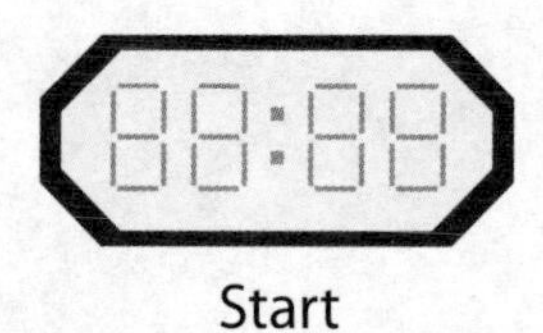

Start

2						4	9	5
			3		2			6
			9	8		3		
		7		4	5			
	1						3	
			6	7		2		
		4		6	9			
8			4		1			
6	5	1						

End

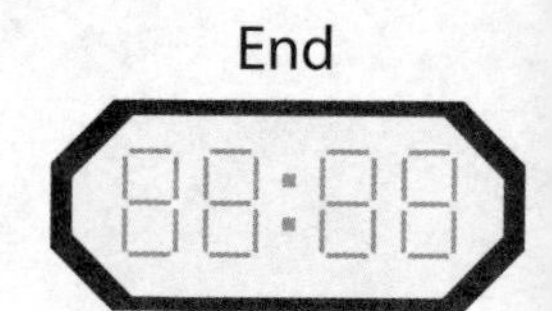

Level # 3

The Marathon Puzzle 16

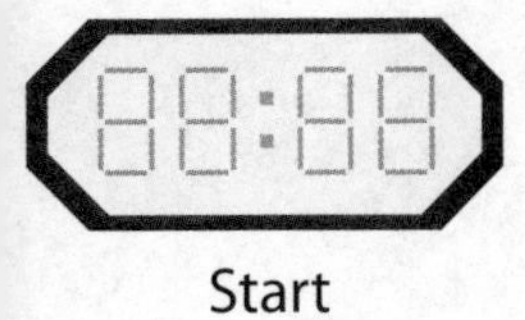

Start

7		4					8	5
			3				7	
6				5				
	7			8			3	
		2		6		5		
	8				1		9	
	6			4				1
	3				9			
	4		8			2		3

End

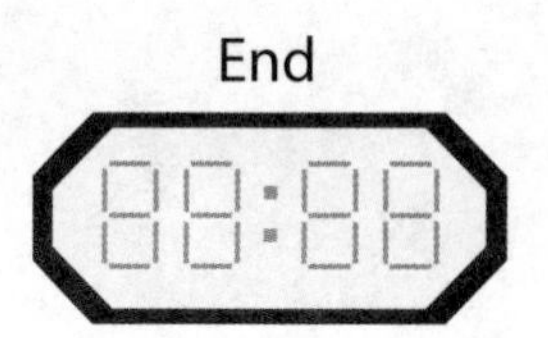

Level # 3

The Marathon Puzzle 17

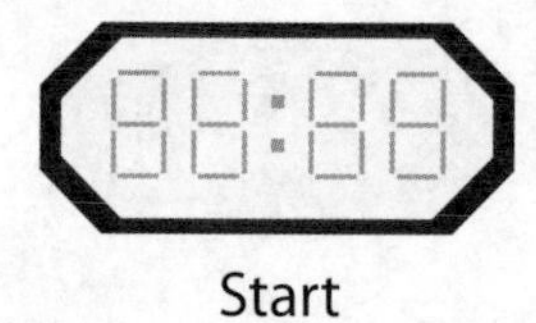

Start

7	3		5		9			
		9				6		
5				8				2
	5				8			
		8		1		4		
			2				9	
4				2				9
		1				7		
2			3		7		5	4

End

Level # 3

The Marathon Puzzle 18

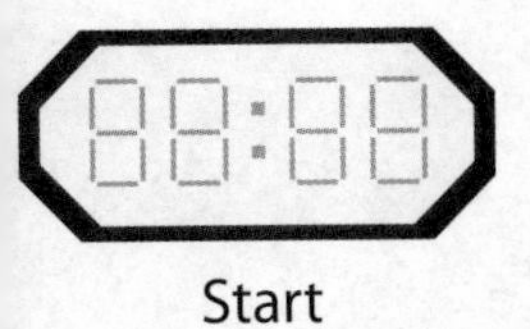

Start

						6	5	
				2		3		
					8	7		2
3	4		6				8	
5			7		9			1
	7				5		2	3
7		4	9					
		6		4				
	1	5						

End

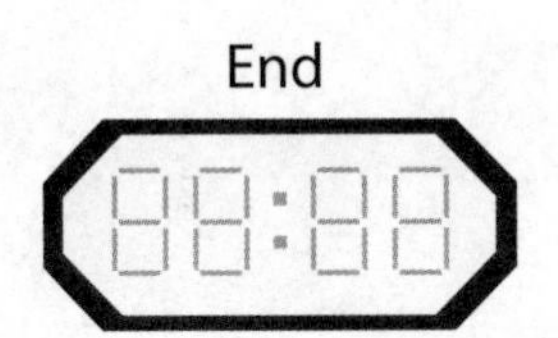

Level # 3

The Marathon Puzzle 19

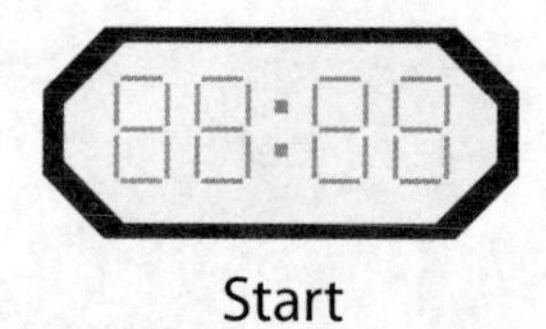

Start

8		5			7		2	
	4				2			
2				6				7
			5			1		9
	7						6	
9		8			4			
5				2				6
			3				5	
	1					3		4

End

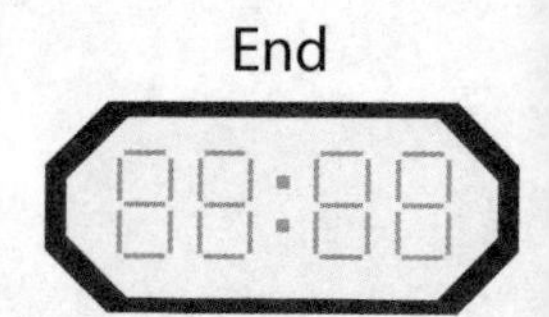

Level # 3

The Marathon Puzzle 20

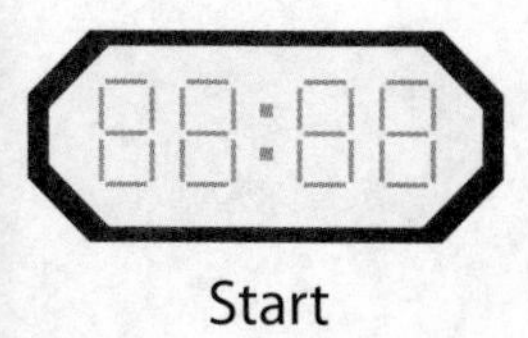

Start

	1			4				2
			3		7			4
6				8		5		
	9						2	7
				6				
5	4						1	
		3		5				9
8			4		2			
4				7			6	

End

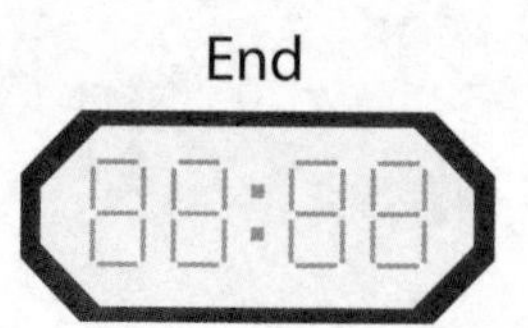

Level # 3

The Marathon Puzzle 21

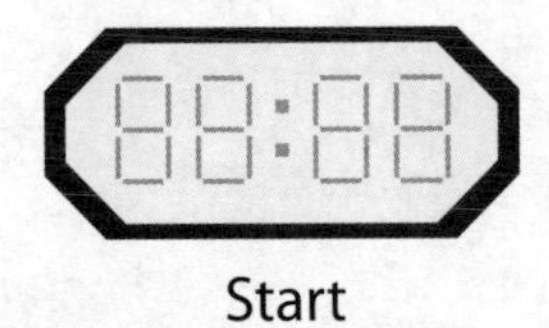

Start

4				1		6		
		5					2	3
6			9		8			
	3					8		
	4			3			7	
5		1				3		
			5		7			1
8	2					9		
				4			3	

End

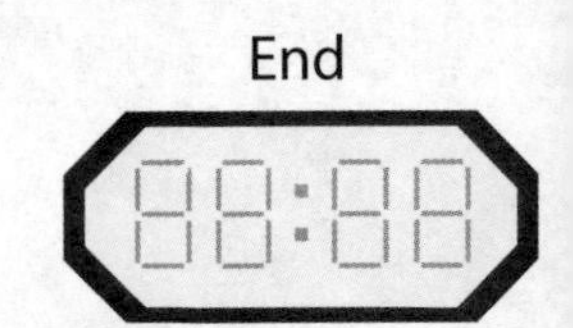

Level # 3

The Marathon Puzzle 22

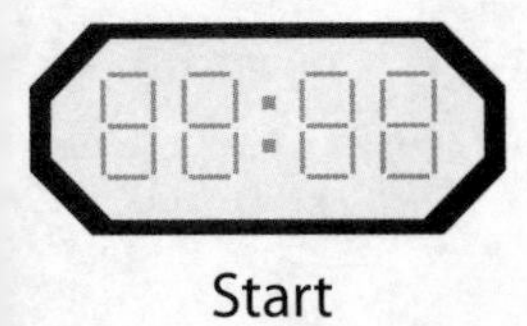

Start

		4			2	7		5
5					1		8	
6	3					2		
					8			1
	9						5	
7			9					
		6					3	4
	2		6					8
1		7				6		

End

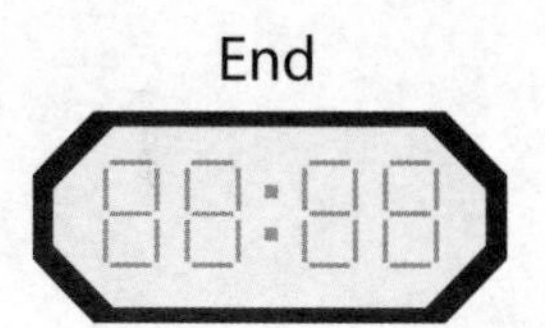

Level # 4

The Marathon Puzzle 23

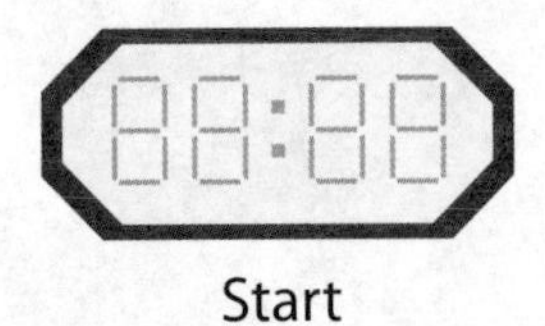

Start

	4		1					
				6		5	4	
9		5	7					8
	2					6		3
3		4					5	
5					4	9		6
	8			2				
					3		2	

End

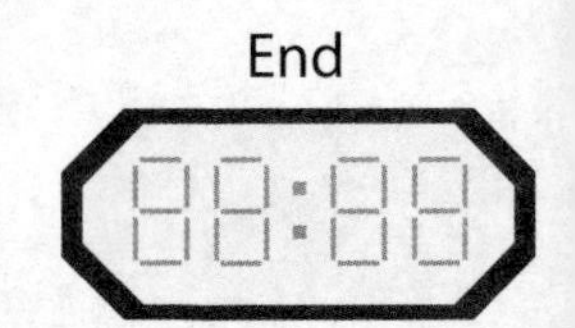

Level # 4

The Marathon Puzzle 24

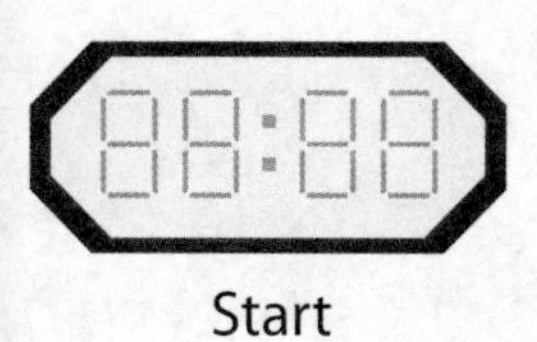

Start

2			9					
				1		6	4	
1				2			5	
5			7		2			
	7			6			1	
			8		1			9
	6			8				
	1	4		7				
					3			8

End

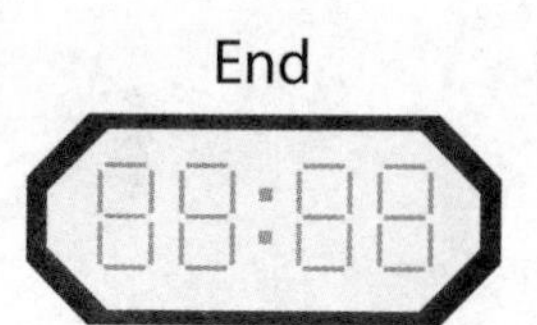

Level # 4

The Marathon Puzzle 25

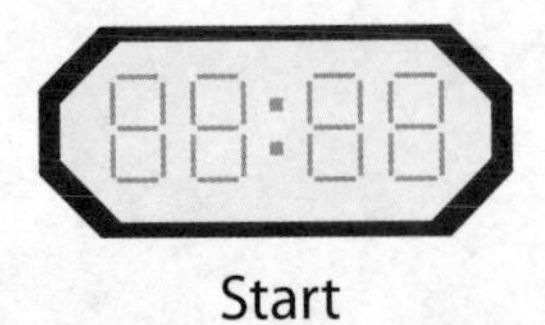

Start

		6				8		
2	9		6		7			
				4				1
		2					6	
		4		5		3		
	7							2
3				1				
	4		2		9		7	3
		5				2		

End

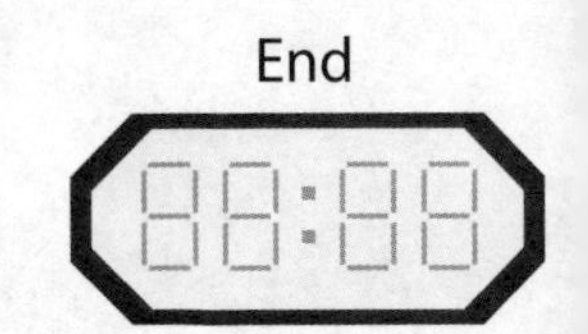

Level # 4

The Marathon Puzzle 26

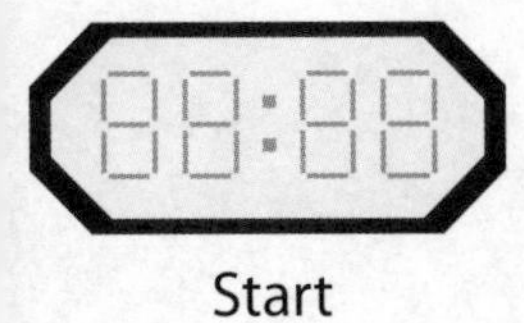

Start

		7				9		
	3			4				6
9			2					4
	5			6			2	
			7		9			
	2						6	
4			8		2			1
	1			5			9	
		3				2		

End

Level # 4

The Marathon Puzzle 27

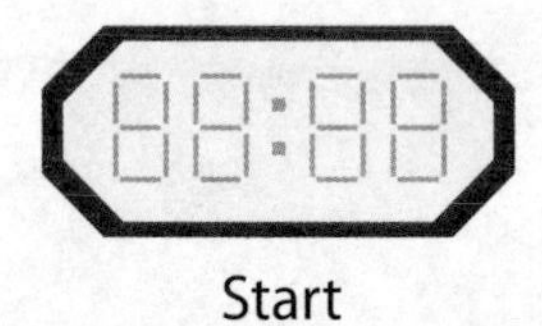

Start

			3	7			6	
						9		3
			6		8			
	2			1	9			
5								6
			4	2			8	
		7	1		5			
	5	4						
	1			4	3			

End

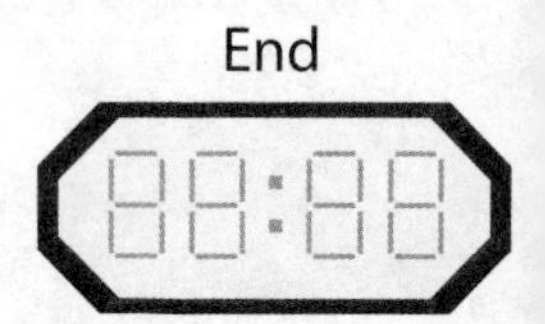

Level # 4

The Marathon Puzzle 28

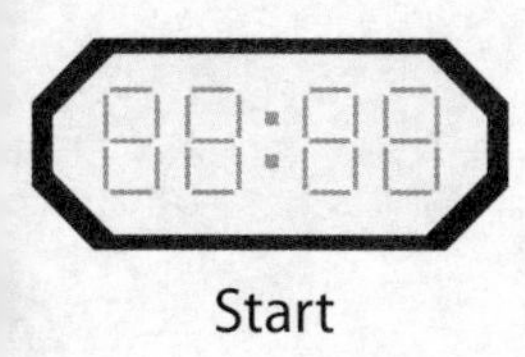

Start

1				8			6	
	6			4				1
9		8						
	5	9	8					
	1						7	
					3	2	4	
						3		9
7				5			2	
	4							6

End

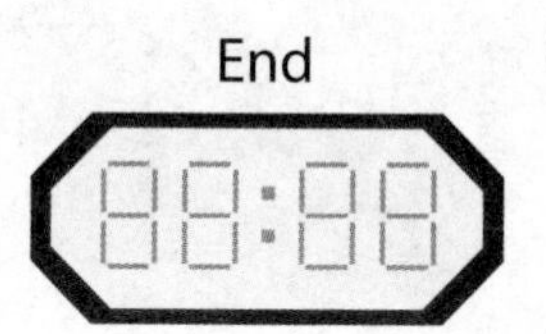

Level # 4

The Marathon Puzzle 29

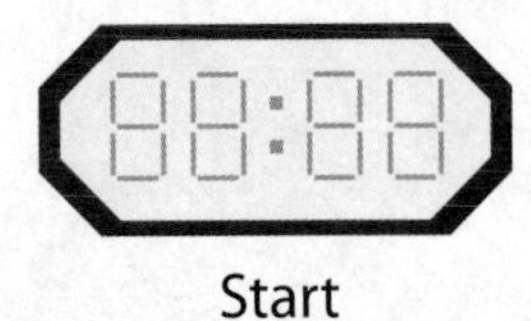

Start

	2			5				
			6		8		9	4
		1				8		
7								6
		3		7		5		
8								3
			5			7		
6	3		4		9			
				2			3	

End

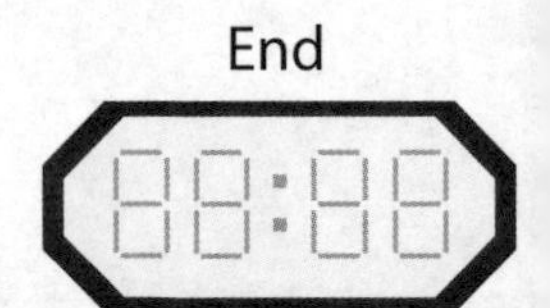

Level # 5

The Marathon Puzzle 30

Start

	7	2			3			
1					5			
				6			7	1
9						4	6	
	1	4						7
8	6			9				
			4				8	9
		7	1			6		

End

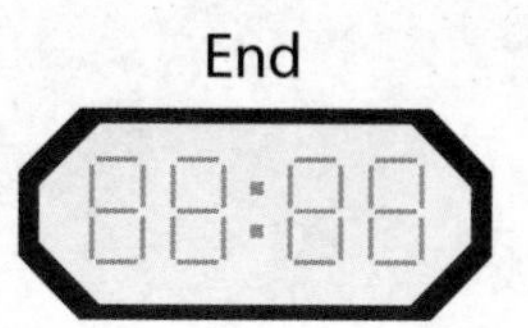

Level # 5

The Marathon Puzzle 31

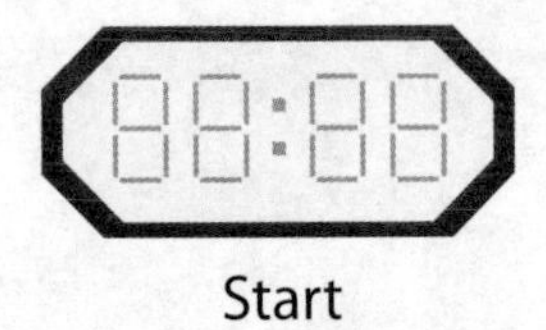

Start

4	5				3	9		
3					7			5
	6		9			1		
1								
		6				3		
								8
		5			6		1	
9			7					4
			1					9

End

Level # 5

The Marathon Puzzle 32

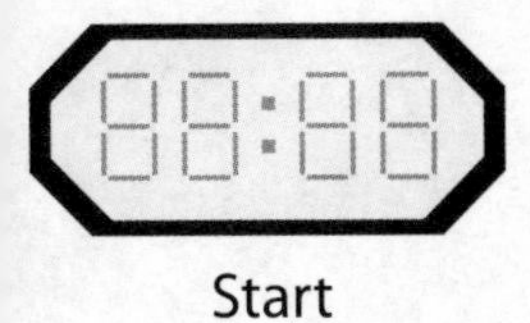

Start

	9	4						6
			3		2		5	
				8				
9					7			8
		1		9		7		
2								
				7				3
	8		6		1			
3						4	2	

End

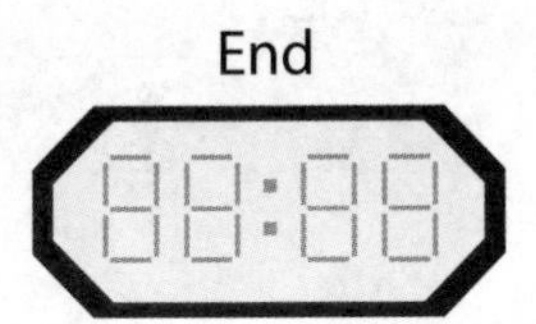

Level # 5

The Marathon Puzzle 33

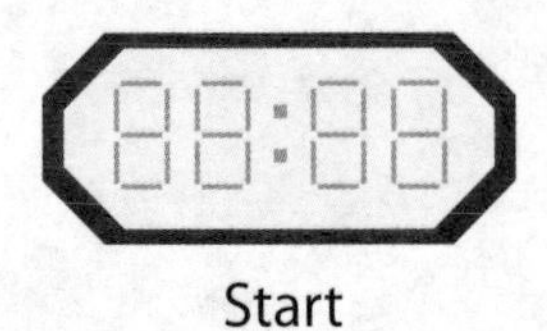

Start

8				3		6		
							1	5
		2						
7					1	2	6	
		4				8		7
	5	3	7					
						9		
5	7							
		9		2				4

End

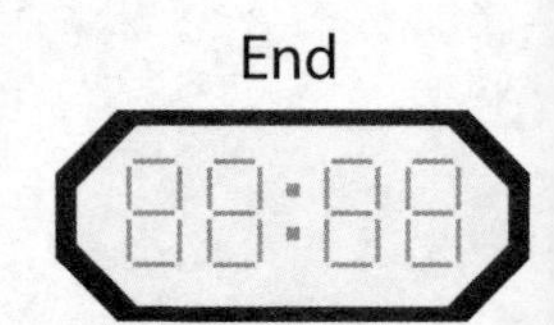

Level # 5

The Marathon Puzzle 34

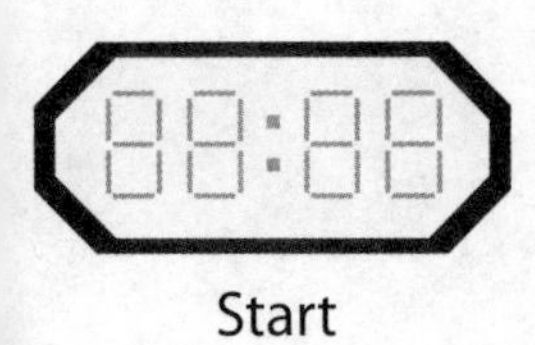

Start

		7			5			
			1					
		8		9		3		6
	3							1
7		5				4		2
							9	
6		1		7		8		
				2		1		
			4			9		

End

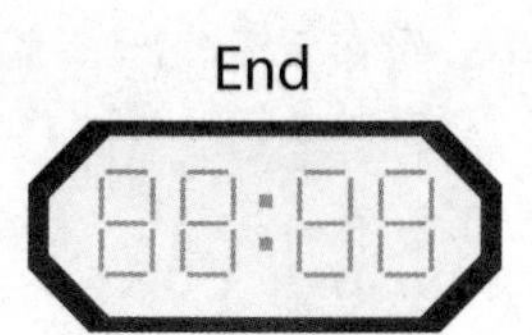

Level # 5

The Marathon Puzzle 35

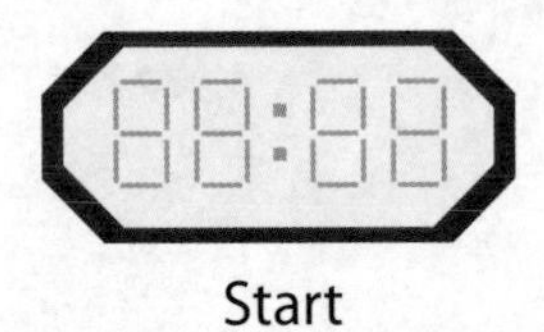
Start

1	2							
4				8				
		8			3			
	3					4	6	
			7		5			
	8	4			2		7	
			5					6
				6				1
							9	2

End
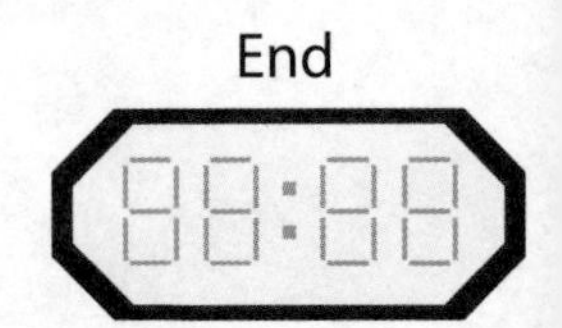

Level # 5

The Marathon Puzzle 36

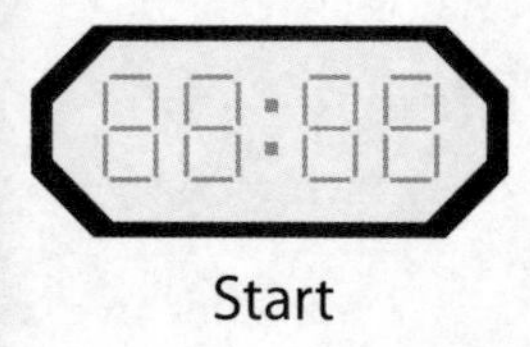

Start

5			7				8	
								3
		2	1		6			
	3						1	
8				5				7
	4						9	
			2		9	5		
7								
	1				4			6

End

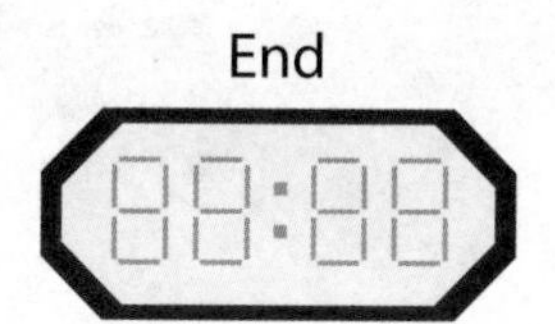

Level # 5

THE ANSWERS

THE WARM UP

The Warm Up – Answers

Puzzle 1

1	8	4	9	3	7	5	2	6
3	5	9	2	6	4	8	1	7
2	7	6	5	1	8	4	9	3
4	9	8	3	7	6	1	5	2
7	3	1	4	2	5	6	8	9
5	6	2	8	9	1	7	3	4
6	2	5	7	8	9	3	4	1
9	4	7	1	5	3	2	6	8
8	1	3	6	4	2	9	7	5

Puzzle 2

8	7	3	9	4	6	2	1	5
2	1	6	5	3	8	4	7	9
4	9	5	2	7	1	8	3	6
6	2	7	3	1	4	9	5	8
9	3	1	8	2	5	6	4	7
5	8	4	6	9	7	3	2	1
1	6	9	4	5	3	7	8	2
3	5	8	7	6	2	1	9	4
7	4	2	1	8	9	5	6	3

Puzzle 3

3	2	9	1	8	7	6	4	5
5	8	4	2	9	6	1	7	3
1	6	7	5	4	3	2	8	9
7	3	8	9	2	1	4	5	6
4	9	6	8	7	5	3	2	1
2	5	1	3	6	4	8	9	7
9	1	5	4	3	2	7	6	8
8	7	2	6	1	9	5	3	4
6	4	3	7	5	8	9	1	2

Puzzle 4

5	4	6	1	9	2	7	3	8
1	2	7	3	6	8	5	4	9
9	8	3	5	7	4	2	1	6
2	5	9	6	4	7	3	8	1
8	3	1	9	2	5	4	6	7
6	7	4	8	1	3	9	2	5
7	1	5	2	3	6	8	9	4
3	6	8	4	5	9	1	7	2
4	9	2	7	8	1	6	5	3

Puzzle 5

2	7	8	6	9	5	3	4	1
4	6	5	1	3	2	7	8	9
3	1	9	8	4	7	5	6	2
6	8	3	4	7	9	1	2	5
1	9	2	5	6	3	8	7	4
7	5	4	2	1	8	9	3	6
5	4	7	9	8	6	2	1	3
9	3	6	7	2	1	4	5	8
8	2	1	3	5	4	6	9	7

Puzzle 6

4	8	7	5	2	9	3	6	1
6	2	1	8	3	4	9	5	7
3	5	9	6	7	1	2	4	8
2	3	8	1	4	6	5	7	9
1	9	5	7	8	3	4	2	6
7	4	6	2	9	5	1	8	3
5	6	2	9	1	8	7	3	4
8	1	3	4	5	7	6	9	2
9	7	4	3	6	2	8	1	5

Puzzle 7

7	5	1	8	3	6	2	4	9
6	2	3	9	4	7	5	8	1
8	9	4	1	5	2	6	7	3
9	7	8	2	6	4	1	3	5
1	4	2	3	8	5	9	6	7
5	3	6	7	1	9	8	2	4
2	1	9	4	7	8	3	5	6
4	8	5	6	9	3	7	1	2
3	6	7	5	2	1	4	9	8

Puzzle 8

6	8	4	2	9	5	3	7	1
9	5	1	3	6	7	2	8	4
2	3	7	8	1	4	6	9	5
7	1	2	4	5	6	9	3	8
8	9	5	7	2	3	4	1	6
4	6	3	9	8	1	5	2	7
1	2	9	6	4	8	7	5	3
3	4	8	5	7	9	1	6	2
5	7	6	1	3	2	8	4	9

Puzzle 9

5	2	9	7	8	6	3	4	1
1	7	8	4	5	3	2	6	9
4	6	3	1	9	2	5	7	8
3	8	6	9	4	7	1	5	2
7	1	5	2	3	8	4	6	9
2	9	4	6	1	5	8	3	7
8	3	7	5	2	9	6	1	4
6	5	1	8	7	4	9	2	3
9	4	2	3	6	1	7	8	5

The Warm Up – Answers

Puzzle 10

6	7	9	4	8	1	5	3	2
8	2	4	6	5	3	7	1	9
3	1	5	2	9	7	4	6	8
2	9	6	8	3	5	1	4	7
5	8	7	1	6	4	2	9	3
4	3	1	7	2	9	8	5	6
7	4	2	9	1	6	3	8	5
1	6	3	5	7	8	9	2	4
9	5	8	3	4	2	6	7	1

Puzzle 11

6	7	1	8	3	4	9	2	5
4	3	2	1	5	9	6	8	7
9	5	8	7	6	2	4	1	3
5	8	9	6	2	1	3	7	4
3	4	6	9	7	8	2	5	1
1	2	7	5	4	3	8	6	9
2	6	3	4	1	7	5	9	8
7	9	5	3	8	6	1	4	2
8	1	4	2	9	5	7	3	6

Puzzle 12

9	1	4	2	5	3	6	8	7
6	7	8	9	1	4	2	5	3
3	2	5	8	6	7	1	9	4
5	8	7	6	9	1	4	3	2
4	9	6	3	2	8	5	7	1
2	3	1	4	7	5	8	6	9
7	5	2	1	3	6	9	4	8
8	6	9	7	4	2	3	1	5
1	4	3	5	8	9	7	2	6

Puzzle 13

2	4	3	1	6	9	8	7	5
6	8	7	2	5	3	4	1	9
1	9	5	8	7	4	3	2	6
8	5	9	6	3	2	7	4	1
7	2	1	4	8	5	9	6	3
4	3	6	9	1	7	5	8	2
3	1	2	7	9	8	6	5	4
5	6	8	3	4	1	2	9	7
9	7	4	5	2	6	1	3	8

Puzzle 14

3	8	7	9	1	5	4	2	6
6	2	9	8	4	7	5	3	1
1	4	5	6	3	2	8	9	7
8	1	2	3	5	9	6	7	4
9	5	4	7	6	8	3	1	2
7	6	3	1	2	4	9	5	8
2	3	8	5	7	6	1	4	9
5	7	6	4	9	1	2	8	3
4	9	1	2	8	3	7	6	5

Puzzle 15

1	8	7	9	2	4	5	3	6
5	6	2	8	1	3	4	7	9
3	4	9	6	5	7	1	8	2
7	5	6	2	3	1	9	4	8
2	1	4	5	8	9	3	6	7
8	9	3	7	4	6	2	1	5
4	7	8	3	9	2	6	5	1
9	3	5	1	6	8	7	2	4
6	2	1	4	7	5	8	9	3

Puzzle 16

5	8	3	7	2	9	6	1	4
2	9	4	8	1	6	3	5	7
1	7	6	5	4	3	9	2	8
7	4	2	3	6	1	5	8	9
8	1	9	4	5	2	7	3	6
3	6	5	9	7	8	1	4	2
6	3	7	1	8	4	2	9	5
9	2	8	6	3	5	4	7	1
4	5	1	2	9	7	8	6	3

Puzzle 17

2	6	7	4	9	5	1	8	3
1	9	4	7	8	3	5	6	2
8	5	3	1	2	6	9	4	7
5	3	9	6	1	2	8	7	4
7	1	2	8	4	9	6	3	5
6	4	8	3	5	7	2	1	9
4	8	5	2	7	1	3	9	6
9	7	6	5	3	8	4	2	1
3	2	1	9	6	4	7	5	8

Puzzle 18

7	5	1	4	6	2	9	3	8
8	9	2	7	5	3	1	4	6
3	6	4	8	9	1	5	7	2
4	8	5	3	1	9	6	2	7
1	2	3	5	7	6	8	9	4
9	7	6	2	8	4	3	5	1
5	3	8	1	4	7	2	6	9
6	1	7	9	2	5	4	8	3
2	4	9	6	3	8	7	1	5

The Warm Up – Answers

Puzzle 19

5	2	7	9	3	8	6	4	1
8	9	1	6	2	4	5	7	3
4	3	6	1	7	5	2	9	8
1	6	4	2	5	9	8	3	7
3	7	9	8	6	1	4	2	5
2	8	5	3	4	7	9	1	6
6	1	8	4	9	3	7	5	2
7	4	2	5	1	6	3	8	9
9	5	3	7	8	2	1	6	4

Puzzle 20

2	8	9	1	3	4	5	7	6
4	7	6	5	8	9	1	3	2
3	1	5	7	2	6	9	8	4
6	9	7	8	1	2	4	5	3
8	4	1	6	5	3	2	9	7
5	3	2	9	4	7	6	1	8
1	6	3	4	9	8	7	2	5
9	2	4	3	7	5	8	6	1
7	5	8	2	6	1	3	4	9

Puzzle 21

7	1	2	6	9	5	4	3	8
8	4	6	2	1	3	7	9	5
9	3	5	8	4	7	1	6	2
6	9	8	4	5	2	3	1	7
1	2	7	3	6	9	5	8	4
3	5	4	7	8	1	6	2	9
2	8	1	5	3	4	9	7	6
4	7	3	9	2	6	8	5	1
5	6	9	1	7	8	2	4	3

Puzzle 22

2	9	6	3	7	8	4	1	5
1	8	5	6	4	9	7	2	3
7	3	4	5	2	1	9	6	8
8	5	7	9	1	3	6	4	2
9	6	2	7	5	4	8	3	1
4	1	3	2	8	6	5	9	7
3	4	1	8	9	7	2	5	6
6	2	8	4	3	5	1	7	9
5	7	9	1	6	2	3	8	4

Puzzle 23

5	4	1	8	9	2	6	7	3
7	9	2	6	3	4	5	1	8
8	6	3	7	5	1	2	9	4
1	7	8	9	2	6	4	3	5
3	2	9	5	4	8	7	6	1
6	5	4	1	7	3	8	2	9
2	1	5	4	6	9	3	8	7
4	8	6	3	1	7	9	5	2
9	3	7	2	8	5	1	4	6

Puzzle 24

1	6	5	8	3	9	7	4	2
9	7	8	4	6	2	1	3	5
4	2	3	5	1	7	6	8	9
7	5	4	3	9	1	8	2	6
3	8	6	2	7	4	9	5	1
2	1	9	6	5	8	4	7	3
8	9	1	7	2	3	5	6	4
6	3	7	1	4	5	2	9	8
5	4	2	9	8	6	3	1	7

Puzzle 25

1	6	5	7	4	2	3	9	8
8	2	7	9	6	3	1	4	5
9	3	4	5	1	8	7	2	6
3	7	8	6	2	1	4	5	9
6	5	2	4	3	9	8	1	7
4	9	1	8	5	7	6	3	2
5	8	3	2	7	4	9	6	1
7	1	6	3	9	5	2	8	4
2	4	9	1	8	6	5	7	3

Puzzle 26

7	3	1	5	9	2	8	4	6
4	5	9	7	8	6	2	1	3
8	6	2	4	3	1	7	9	5
5	1	6	8	7	3	4	2	9
2	8	4	1	6	9	3	5	7
3	9	7	2	4	5	1	6	8
1	7	8	6	5	4	9	3	2
6	2	3	9	1	8	5	7	4
9	4	5	3	2	7	6	8	1

Puzzle 27

4	3	2	8	1	6	7	5	9
5	6	9	3	7	4	8	1	2
1	7	8	9	5	2	4	6	3
3	4	7	2	8	5	6	9	1
2	1	6	7	4	9	3	8	5
9	8	5	1	6	3	2	7	4
7	9	1	4	3	8	5	2	6
8	5	3	6	2	1	9	4	7
6	2	4	5	9	7	1	3	8

The Warm Up – Answers

Puzzle 28

1	3	9	5	2	7	8	4	6
7	6	4	8	3	1	9	5	2
2	5	8	6	4	9	1	3	7
6	9	1	7	5	8	4	2	3
3	4	7	9	6	2	5	8	1
5	8	2	4	1	3	7	6	9
9	7	5	3	8	6	2	1	4
8	1	3	2	7	4	6	9	5
4	2	6	1	9	5	3	7	8

Puzzle 29

7	4	1	8	9	2	5	3	6
6	5	8	7	4	3	1	9	2
3	2	9	6	1	5	4	7	8
5	8	3	9	6	4	2	1	7
9	7	4	1	2	8	3	6	5
1	6	2	3	5	7	8	4	9
2	9	7	5	3	1	6	8	4
4	3	6	2	8	9	7	5	1
8	1	5	4	7	6	9	2	3

Puzzle 30

2	1	7	6	5	9	3	4	8
6	3	4	1	8	2	5	9	7
9	8	5	4	7	3	6	2	1
5	6	3	8	4	1	2	7	9
1	4	2	7	9	5	8	3	6
7	9	8	3	2	6	1	5	4
3	5	1	9	6	7	4	8	2
4	2	9	5	1	8	7	6	3
8	7	6	2	3	4	9	1	5

Puzzle 31

9	6	5	3	7	4	2	8	1
4	3	8	5	2	1	9	7	6
7	2	1	6	8	9	5	4	3
8	5	4	7	9	6	1	3	2
3	1	6	4	5	2	8	9	7
2	7	9	1	3	8	6	5	4
5	9	7	2	1	3	4	6	8
6	8	2	9	4	7	3	1	5
1	4	3	8	6	5	7	2	9

Puzzle 32

4	5	2	8	1	6	7	9	3
3	9	1	2	4	7	5	8	6
8	7	6	5	9	3	1	2	4
1	6	4	7	3	2	9	5	8
5	2	8	4	6	9	3	1	7
9	3	7	1	8	5	4	6	2
7	8	9	6	5	4	2	3	1
2	1	3	9	7	8	6	4	5
6	4	5	3	2	1	8	7	9

Puzzle 33

7	2	4	1	9	8	5	3	6
5	1	9	7	3	6	2	4	8
8	3	6	2	4	5	1	9	7
6	9	7	8	1	4	3	2	5
2	5	8	3	6	9	4	7	1
3	4	1	5	2	7	6	8	9
9	6	2	4	8	1	7	5	3
1	7	3	9	5	2	8	6	4
4	8	5	6	7	3	9	1	2

Puzzle 34

9	5	8	7	2	3	1	6	4
3	4	7	6	9	1	2	5	8
2	1	6	8	5	4	9	7	3
5	2	4	3	1	6	8	9	7
6	8	1	4	7	9	5	3	2
7	9	3	2	8	5	4	1	6
4	3	9	5	6	8	7	2	1
8	7	5	1	3	2	6	4	9
1	6	2	9	4	7	3	8	5

Puzzle 35

2	1	5	4	7	9	8	3	6
3	7	8	2	6	1	4	5	9
9	6	4	8	5	3	7	2	1
4	2	1	3	8	7	6	9	5
8	9	7	6	1	5	3	4	2
6	5	3	9	2	4	1	8	7
1	4	9	7	3	2	5	6	8
5	3	6	1	9	8	2	7	4
7	8	2	5	4	6	9	1	3

Puzzle 36

5	3	9	1	2	8	7	6	4
8	2	1	6	4	7	5	3	9
6	7	4	3	5	9	8	1	2
4	9	3	5	1	6	2	7	8
2	6	7	8	9	3	1	4	5
1	5	8	4	7	2	3	9	6
3	4	6	7	8	5	9	2	1
7	8	2	9	6	1	4	5	3
9	1	5	2	3	4	6	8	7

The Warm Up – Answers

Puzzle 37

3	9	8	2	5	6	4	7	1
2	6	4	3	1	7	9	8	5
5	7	1	4	8	9	3	2	6
6	2	3	5	4	1	7	9	8
7	1	5	8	9	2	6	3	4
4	8	9	7	6	3	1	5	2
1	3	6	9	2	8	5	4	7
9	4	2	6	7	5	8	1	3
8	5	7	1	3	4	2	6	9

Puzzle 38

6	3	2	8	4	7	9	1	5
8	9	7	6	1	5	4	2	3
1	4	5	9	2	3	6	8	7
3	1	6	2	9	8	5	7	4
9	2	4	7	5	6	1	3	8
7	5	8	1	3	4	2	6	9
4	8	1	5	7	2	3	9	6
2	7	3	4	6	9	8	5	1
5	6	9	3	8	1	7	4	2

Puzzle 39

7	1	9	3	2	8	4	6	5
2	8	6	5	4	9	3	1	7
3	4	5	7	1	6	9	8	2
1	6	8	2	5	3	7	9	4
4	5	2	9	8	7	6	3	1
9	7	3	1	6	4	2	5	8
5	3	1	4	9	2	8	7	6
6	2	7	8	3	1	5	4	9
8	9	4	6	7	5	1	2	3

Puzzle 40

6	9	5	3	4	7	8	1	2
3	7	8	2	1	9	5	4	6
1	4	2	8	6	5	7	9	3
2	6	7	5	9	3	4	8	1
5	3	4	7	8	1	2	6	9
8	1	9	6	2	4	3	7	5
7	2	6	1	3	8	9	5	4
9	5	1	4	7	2	6	3	8
4	8	3	9	5	6	1	2	7

Puzzle 41

6	3	2	8	4	1	5	7	9
7	8	5	9	3	2	4	6	1
9	4	1	7	5	6	8	3	2
3	5	7	4	2	8	9	1	6
2	6	4	3	1	9	7	8	5
1	9	8	5	6	7	3	2	4
8	7	6	1	9	4	2	5	3
5	2	9	6	8	3	1	4	7
4	1	3	2	7	5	6	9	8

Puzzle 42

5	9	7	6	2	8	1	3	4
1	2	3	4	9	7	5	6	8
6	4	8	1	3	5	7	2	9
4	3	1	5	6	9	8	7	2
2	6	5	7	8	4	9	1	3
7	8	9	3	1	2	6	4	5
8	7	6	9	4	3	2	5	1
9	1	4	2	5	6	3	8	7
3	5	2	8	7	1	4	9	6

Puzzle 43

9	3	6	5	4	1	7	2	8
7	1	8	2	9	3	4	5	6
5	4	2	7	8	6	1	3	9
2	9	7	8	1	4	3	6	5
1	6	5	3	7	2	9	8	4
3	8	4	6	5	9	2	1	7
4	5	3	1	6	7	8	9	2
8	2	9	4	3	5	6	7	1
6	7	1	9	2	8	5	4	3

Puzzle 44

3	6	5	8	1	4	7	2	9
9	4	8	7	3	2	6	1	5
2	7	1	5	9	6	3	4	8
6	2	3	9	8	1	5	7	4
7	5	9	4	2	3	1	8	6
1	8	4	6	5	7	2	9	3
4	3	6	1	7	8	9	5	2
5	1	2	3	4	9	8	6	7
8	9	7	2	6	5	4	3	1

Puzzle 45

1	7	5	2	4	3	9	8	6
3	6	9	1	5	8	7	4	2
4	8	2	9	6	7	3	1	5
6	9	8	7	1	5	2	3	4
7	2	1	4	3	6	5	9	8
5	4	3	8	9	2	1	6	7
8	1	4	5	7	9	6	2	3
2	3	7	6	8	1	4	5	9
9	5	6	3	2	4	8	7	1

The Warm Up – Answers

Puzzle 46

2	6	4	8	9	1	3	7	5
9	1	3	7	5	4	2	8	6
5	7	8	6	2	3	4	9	1
4	2	6	3	8	5	9	1	7
3	5	1	9	6	7	8	4	2
8	9	7	4	1	2	6	5	3
6	4	2	1	7	9	5	3	8
7	3	5	2	4	8	1	6	9
1	8	9	5	3	6	7	2	4

Puzzle 47

9	7	5	2	3	8	1	6	4
8	3	1	6	4	7	2	5	9
2	6	4	1	5	9	8	7	3
5	8	7	9	1	2	3	4	6
1	4	6	8	7	3	9	2	5
3	9	2	5	6	4	7	8	1
4	1	8	3	2	5	6	9	7
7	2	3	4	9	6	5	1	8
6	5	9	7	8	1	4	3	2

Puzzle 48

5	4	8	9	3	7	1	6	2
9	6	2	1	4	5	7	3	8
7	1	3	8	6	2	5	9	4
3	2	7	5	8	6	4	1	9
1	8	6	4	7	9	3	2	5
4	5	9	3	2	1	8	7	6
8	9	4	6	1	3	2	5	7
2	3	5	7	9	4	6	8	1
6	7	1	2	5	8	9	4	3

Puzzle 49

6	8	5	2	1	4	3	7	9
7	4	3	5	6	9	1	2	8
9	1	2	7	8	3	5	6	4
2	5	4	6	3	8	9	1	7
1	6	7	9	4	5	2	8	3
8	3	9	1	7	2	6	4	5
4	2	8	3	5	6	7	9	1
5	7	6	8	9	1	4	3	2
3	9	1	4	2	7	8	5	6

Puzzle 50

7	4	2	6	8	9	5	1	3
5	6	3	1	7	4	8	2	9
8	1	9	3	2	5	4	6	7
1	5	4	9	3	2	6	7	8
2	9	6	7	5	8	3	4	1
3	7	8	4	1	6	9	5	2
9	2	7	5	6	3	1	8	4
4	8	5	2	9	1	7	3	6
6	3	1	8	4	7	2	9	5

THE ANSWERS

THE WORK OUT

The Work Out – Answers

Puzzle 1

5	4	3	6	8	2	1	7	9
6	2	7	4	1	9	3	5	8
8	1	9	3	5	7	2	4	6
1	6	2	8	9	5	4	3	7
7	3	5	2	6	4	8	9	1
4	9	8	1	7	3	5	6	2
9	5	1	7	4	8	6	2	3
3	7	6	5	2	1	9	8	4
2	8	4	9	3	6	7	1	5

Puzzle 2

2	3	8	6	9	5	1	4	7
6	1	9	7	3	4	8	2	5
7	5	4	2	8	1	3	6	9
8	6	3	9	1	2	5	7	4
9	4	5	8	7	6	2	1	3
1	7	2	5	4	3	9	8	6
4	8	1	3	6	9	7	5	2
3	2	7	4	5	8	6	9	1
5	9	6	1	2	7	4	3	8

Puzzle 3

2	5	1	9	6	8	4	7	3
6	3	8	1	4	7	5	2	9
7	9	4	5	2	3	1	8	6
8	6	3	2	7	5	9	1	4
1	4	7	8	9	6	2	3	5
5	2	9	4	3	1	7	6	8
9	1	6	7	8	4	3	5	2
3	7	2	6	5	9	8	4	1
4	8	5	3	1	2	6	9	7

Puzzle 4

3	9	1	8	7	6	2	5	4
5	7	6	4	1	2	9	8	3
8	2	4	3	9	5	7	1	6
1	4	9	5	3	8	6	2	7
6	5	3	7	2	9	1	4	8
2	8	7	1	6	4	5	3	9
4	1	8	6	5	7	3	9	2
9	6	5	2	8	3	4	7	1
7	3	2	9	4	1	8	6	5

Puzzle 5

8	6	7	2	5	4	3	1	9
3	9	4	7	1	8	2	5	6
1	2	5	9	6	3	7	4	8
6	4	9	3	2	1	5	8	7
7	5	8	4	9	6	1	2	3
2	3	1	8	7	5	6	9	4
5	7	6	1	4	9	8	3	2
4	1	3	6	8	2	9	7	5
9	8	2	5	3	7	4	6	1

Puzzle 6

4	1	5	2	9	7	8	6	3
2	6	9	5	3	8	1	7	4
3	8	7	4	1	6	2	9	5
6	3	2	7	8	5	9	4	1
9	5	1	3	2	4	6	8	7
8	7	4	1	6	9	5	3	2
1	2	6	9	4	3	7	5	8
7	9	3	8	5	1	4	2	6
5	4	8	6	7	2	3	1	9

Puzzle 7

6	5	8	9	4	1	7	3	2
7	4	3	5	8	2	6	1	9
1	2	9	7	3	6	5	4	8
4	7	2	8	5	3	9	6	1
3	9	6	2	1	4	8	5	7
5	8	1	6	9	7	3	2	4
9	1	4	3	6	8	2	7	5
2	6	5	4	7	9	1	8	3
8	3	7	1	2	5	4	9	6

Puzzle 8

8	4	7	1	2	5	6	3	9
6	2	9	7	4	3	8	1	5
5	1	3	8	9	6	7	2	4
7	3	8	6	1	9	5	4	2
1	6	2	4	5	8	9	7	3
9	5	4	2	3	7	1	8	6
3	9	1	5	8	4	2	6	7
4	8	6	9	7	2	3	5	1
2	7	5	3	6	1	4	9	8

Puzzle 9

3	6	8	2	1	7	4	5	9
9	4	7	8	5	6	1	3	2
1	5	2	3	4	9	8	6	7
7	3	9	1	6	2	5	4	8
5	2	6	7	8	4	3	9	1
4	8	1	9	3	5	2	7	6
2	7	4	5	9	1	6	8	3
8	9	5	6	2	3	7	1	4
6	1	3	4	7	8	9	2	5

The Work Out – Answers

Puzzle 10

7	4	6	2	5	9	1	3	8
5	9	1	8	3	4	6	2	7
3	8	2	7	1	6	5	9	4
1	7	5	3	6	8	2	4	9
2	3	9	4	7	5	8	1	6
8	6	4	9	2	1	7	5	3
4	5	3	6	8	2	9	7	1
9	1	8	5	4	7	3	6	2
6	2	7	1	9	3	4	8	5

Puzzle 11

6	1	8	4	5	2	7	9	3
7	2	9	1	3	6	5	8	4
3	5	4	9	7	8	1	6	2
8	6	1	5	4	7	2	3	9
4	9	5	2	6	3	8	7	1
2	3	7	8	1	9	6	4	5
9	4	2	7	8	5	3	1	6
1	8	3	6	2	4	9	5	7
5	7	6	3	9	1	4	2	8

Puzzle 12

1	5	2	3	8	7	4	9	6
4	6	3	2	1	9	8	7	5
7	8	9	5	6	4	3	2	1
9	7	1	4	3	6	5	8	2
2	4	8	7	5	1	9	6	3
5	3	6	9	2	8	7	1	4
3	9	7	1	4	2	6	5	8
6	1	5	8	7	3	2	4	9
8	2	4	6	9	5	1	3	7

Puzzle 13

4	5	6	8	7	3	1	9	2
3	8	2	9	1	5	7	4	6
7	1	9	6	2	4	5	8	3
2	6	5	4	9	7	3	1	8
8	3	1	5	6	2	9	7	4
9	7	4	3	8	1	6	2	5
1	2	8	7	5	6	4	3	9
6	9	3	1	4	8	2	5	7
5	4	7	2	3	9	8	6	1

Puzzle 14

7	3	6	5	9	4	8	2	1
1	4	2	6	3	8	7	9	5
5	8	9	7	1	2	3	4	6
6	1	7	9	4	3	5	8	2
8	2	4	1	6	5	9	7	3
9	5	3	8	2	7	6	1	4
4	6	5	2	7	9	1	3	8
3	9	1	4	8	6	2	5	7
2	7	8	3	5	1	4	6	9

Puzzle 15

9	1	7	4	6	2	5	3	8
4	6	3	5	7	8	2	1	9
2	5	8	1	9	3	6	7	4
6	4	2	3	8	7	9	5	1
7	8	1	9	4	5	3	2	6
3	9	5	6	2	1	8	4	7
8	7	4	2	5	6	1	9	3
1	2	9	8	3	4	7	6	5
5	3	6	7	1	9	4	8	2

Puzzle 16

2	8	3	9	4	7	1	6	5
1	6	4	8	3	5	9	2	7
7	9	5	1	2	6	8	4	3
6	7	9	4	8	3	5	1	2
3	5	1	6	7	2	4	9	8
4	2	8	5	9	1	7	3	6
8	4	6	2	5	9	3	7	1
9	1	7	3	6	8	2	5	4
5	3	2	7	1	4	6	8	9

Puzzle 17

1	2	9	3	7	5	6	4	8
8	4	5	6	9	2	3	7	1
7	6	3	8	4	1	9	5	2
3	1	6	4	2	9	5	8	7
9	5	2	1	8	7	4	3	6
4	7	8	5	6	3	2	1	9
5	8	1	2	3	6	7	9	4
2	9	4	7	5	8	1	6	3
6	3	7	9	1	4	8	2	5

Puzzle 18

2	7	6	9	5	8	3	4	1
9	1	5	7	4	3	6	2	8
8	3	4	1	2	6	7	9	5
6	8	9	4	1	2	5	3	7
4	5	1	3	8	7	2	6	9
3	2	7	5	6	9	8	1	4
7	4	8	2	3	1	9	5	6
1	6	3	8	9	5	4	7	2
5	9	2	6	7	4	1	8	3

The Work Out – Answers

Puzzle 19

2	8	3	7	9	1	4	6	5
9	5	7	4	6	8	1	2	3
1	4	6	5	2	3	7	9	8
7	6	5	8	4	2	9	3	1
3	9	4	6	1	7	8	5	2
8	2	1	3	5	9	6	7	4
4	7	9	2	8	5	3	1	6
6	1	2	9	3	4	5	8	7
5	3	8	1	7	6	2	4	9

Puzzle 20

7	6	1	3	8	2	5	9	4
8	9	3	5	1	4	7	6	2
4	5	2	9	7	6	1	3	8
9	3	4	8	2	1	6	5	7
6	2	8	7	5	9	3	4	1
1	7	5	4	6	3	2	8	9
3	8	7	1	4	5	9	2	6
5	1	6	2	9	8	4	7	3
2	4	9	6	3	7	8	1	5

Puzzle 21

6	2	1	9	5	7	8	3	4
8	7	5	3	2	4	6	9	1
9	3	4	6	8	1	7	5	2
1	9	7	8	4	2	3	6	5
4	8	6	5	9	3	2	1	7
2	5	3	1	7	6	9	4	8
5	4	9	2	6	8	1	7	3
3	6	2	7	1	5	4	8	9
7	1	8	4	3	9	5	2	6

Puzzle 22

1	8	5	4	7	6	2	9	3
3	7	2	9	8	5	1	6	4
9	6	4	1	3	2	7	5	8
5	4	7	2	1	3	6	8	9
8	9	6	5	4	7	3	1	2
2	3	1	6	9	8	5	4	7
7	1	8	3	6	4	9	2	5
4	2	9	7	5	1	8	3	6
6	5	3	8	2	9	4	7	1

Puzzle 23

7	4	3	1	5	9	8	6	2
9	1	2	8	6	7	3	5	4
6	8	5	4	2	3	1	7	9
2	7	4	5	8	6	9	1	3
8	5	1	3	9	2	7	4	6
3	9	6	7	1	4	2	8	5
4	6	9	2	7	1	5	3	8
5	2	7	6	3	8	4	9	1
1	3	8	9	4	5	6	2	7

Puzzle 24

7	6	9	5	8	1	2	3	4
2	5	8	4	3	9	7	6	1
3	1	4	7	2	6	5	8	9
6	7	1	2	5	4	8	9	3
9	2	5	3	1	8	6	4	7
4	8	3	9	6	7	1	2	5
8	9	7	1	4	2	3	5	6
5	4	2	6	7	3	9	1	8
1	3	6	8	9	5	4	7	2

Puzzle 25

2	7	4	3	1	5	9	6	8
9	1	6	8	7	2	3	4	5
5	8	3	9	4	6	1	2	7
4	6	8	7	5	3	2	9	1
1	2	9	4	6	8	5	7	3
7	3	5	1	2	9	4	8	6
3	9	2	6	8	1	7	5	4
8	4	1	5	9	7	6	3	2
6	5	7	2	3	4	8	1	9

Puzzle 26

4	2	3	1	6	8	7	5	9
6	1	7	2	5	9	8	3	4
5	9	8	4	7	3	6	2	1
2	7	9	6	1	4	3	8	5
1	3	6	8	9	5	2	4	7
8	5	4	3	2	7	9	1	6
7	6	2	5	3	1	4	9	8
3	4	5	9	8	6	1	7	2
9	8	1	7	4	2	5	6	3

Puzzle 27

6	2	4	5	3	7	8	1	9
7	8	5	1	4	9	2	3	6
3	9	1	8	6	2	4	5	7
2	1	9	6	7	4	3	8	5
4	3	8	9	5	1	6	7	2
5	7	6	2	8	3	9	4	1
1	4	2	7	9	8	5	6	3
8	6	7	3	2	5	1	9	4
9	5	3	4	1	6	7	2	8

The Work Out – Answers

Puzzle 28

3	4	7	5	8	2	1	6	9
8	9	1	4	6	3	7	2	5
6	2	5	1	7	9	4	8	3
9	3	8	7	1	5	2	4	6
4	5	6	9	2	8	3	1	7
7	1	2	6	3	4	5	9	8
5	8	3	2	9	1	6	7	4
1	6	4	8	5	7	9	3	2
2	7	9	3	4	6	8	5	1

Puzzle 29

3	9	6	1	5	8	7	4	2
4	7	5	6	2	3	8	1	9
1	2	8	4	7	9	3	5	6
7	8	3	5	9	6	1	2	4
2	4	9	8	1	7	6	3	5
5	6	1	2	3	4	9	8	7
9	1	4	3	6	5	2	7	8
6	5	2	7	8	1	4	9	3
8	3	7	9	4	2	5	6	1

Puzzle 30

5	4	8	1	6	7	9	3	2
7	1	2	3	5	9	6	4	8
9	6	3	8	4	2	7	1	5
3	8	9	5	1	4	2	7	6
2	5	6	9	7	3	1	8	4
4	7	1	6	2	8	5	9	3
8	9	5	2	3	1	4	6	7
1	2	4	7	8	6	3	5	9
6	3	7	4	9	5	8	2	1

Puzzle 31

3	7	8	5	2	4	6	1	9
2	9	1	8	6	3	4	7	5
5	6	4	9	1	7	2	3	8
4	3	6	7	8	1	5	9	2
7	1	9	2	4	5	3	8	6
8	5	2	3	9	6	7	4	1
1	2	3	6	7	9	8	5	4
6	4	7	1	5	8	9	2	3
9	8	5	4	3	2	1	6	7

Puzzle 32

2	9	8	5	6	1	7	3	4
4	5	7	9	3	2	1	6	8
1	3	6	8	7	4	9	2	5
3	1	2	7	8	6	5	4	9
7	8	5	4	2	9	3	1	6
9	6	4	3	1	5	2	8	7
6	4	9	1	5	3	8	7	2
8	2	1	6	9	7	4	5	3
5	7	3	2	4	8	6	9	1

Puzzle 33

2	9	3	7	4	6	1	8	5
1	6	5	8	3	9	2	7	4
4	7	8	1	2	5	3	6	9
9	1	4	6	7	3	5	2	8
7	3	6	5	8	2	4	9	1
8	5	2	9	1	4	7	3	6
5	4	9	2	6	7	8	1	3
3	8	7	4	9	1	6	5	2
6	2	1	3	5	8	9	4	7

Puzzle 34

3	5	1	2	4	9	6	7	8
9	4	8	1	7	6	3	2	5
2	6	7	8	3	5	9	1	4
8	2	3	9	6	1	5	4	7
5	9	6	7	8	4	1	3	2
1	7	4	5	2	3	8	9	6
6	3	5	4	9	7	2	8	1
7	8	9	6	1	2	4	5	3
4	1	2	3	5	8	7	6	9

Puzzle 35

4	2	6	3	7	1	9	8	5
3	1	5	8	9	6	4	7	2
7	8	9	2	4	5	1	6	3
1	7	2	9	6	8	5	3	4
5	3	4	7	1	2	8	9	6
9	6	8	4	5	3	7	2	1
8	5	1	6	2	7	3	4	9
6	4	7	1	3	9	2	5	8
2	9	3	5	8	4	6	1	7

Puzzle 36

9	2	7	3	4	1	8	5	6
6	1	4	8	5	7	9	3	2
3	8	5	6	2	9	1	4	7
7	9	6	2	3	8	5	1	4
1	4	8	9	7	5	2	6	3
2	5	3	4	1	6	7	8	9
5	6	1	7	9	3	4	2	8
8	7	2	1	6	4	3	9	5
4	3	9	5	8	2	6	7	1

The Work Out – Answers

Puzzle 37

2	5	1	6	8	3	4	7	9
9	4	6	5	2	7	8	1	3
8	7	3	1	4	9	5	2	6
6	3	4	2	9	5	1	8	7
1	8	2	3	7	6	9	5	4
5	9	7	8	1	4	3	6	2
7	6	8	4	3	1	2	9	5
4	2	5	9	6	8	7	3	1
3	1	9	7	5	2	6	4	8

Puzzle 38

6	4	8	2	5	3	1	9	7
3	2	7	8	1	9	6	5	4
5	9	1	7	6	4	2	8	3
2	5	4	9	8	1	7	3	6
7	3	6	4	2	5	9	1	8
1	8	9	3	7	6	5	4	2
9	7	2	5	4	8	3	6	1
8	6	5	1	3	2	4	7	9
4	1	3	6	9	7	8	2	5

Puzzle 39

5	4	9	2	3	1	8	6	7
8	1	2	5	6	7	3	4	9
6	3	7	4	8	9	2	5	1
9	2	4	6	7	8	1	3	5
1	6	5	3	4	2	9	7	8
7	8	3	1	9	5	6	2	4
3	5	6	8	1	4	7	9	2
4	9	1	7	2	6	5	8	3
2	7	8	9	5	3	4	1	6

Puzzle 40

5	2	6	9	3	1	8	4	7
3	9	4	2	7	8	5	6	1
1	7	8	5	6	4	2	9	3
2	3	1	6	4	9	7	5	8
4	5	7	1	8	3	6	2	9
8	6	9	7	5	2	1	3	4
6	4	5	3	1	7	9	8	2
9	1	3	8	2	5	4	7	6
7	8	2	4	9	6	3	1	5

THE ANSWERS

THE MARATHON

The Marathon – Answers

Puzzle 1

4	3	1	8	5	9	7	6	2
7	5	8	2	1	6	9	3	4
2	9	6	7	3	4	1	5	8
9	2	5	4	8	1	6	7	3
1	7	4	6	2	3	5	8	9
6	8	3	9	7	5	4	2	1
8	4	9	5	6	2	3	1	7
5	1	2	3	9	7	8	4	6
3	6	7	1	4	8	2	9	5

Puzzle 2

4	7	9	2	8	1	3	5	6
3	8	6	7	5	4	9	2	1
5	1	2	9	6	3	8	7	4
6	4	5	3	9	7	1	8	2
1	9	7	4	2	8	6	3	5
2	3	8	6	1	5	4	9	7
7	2	1	8	4	9	5	6	3
9	5	3	1	7	6	2	4	8
8	6	4	5	3	2	7	1	9

Puzzle 3

5	1	9	3	4	2	7	8	6
2	3	7	5	8	6	9	4	1
4	6	8	1	7	9	5	3	2
7	5	6	2	3	1	4	9	8
8	2	3	4	9	7	1	6	5
1	9	4	8	6	5	2	7	3
6	4	2	9	5	8	3	1	7
9	8	5	7	1	3	6	2	4
3	7	1	6	2	4	8	5	9

Puzzle 4

2	8	6	4	3	9	5	1	7
7	9	5	6	1	2	3	8	4
3	1	4	8	7	5	9	2	6
1	2	8	5	4	6	7	3	9
4	7	9	1	8	3	6	5	2
6	5	3	9	2	7	8	4	1
8	3	7	2	6	1	4	9	5
5	6	1	3	9	4	2	7	8
9	4	2	7	5	8	1	6	3

Puzzle 5

7	5	4	6	2	1	8	9	3
3	2	1	9	8	4	5	7	6
8	9	6	7	5	3	4	1	2
6	7	2	1	3	8	9	5	4
1	4	5	2	7	9	6	3	8
9	8	3	4	6	5	1	2	7
2	6	9	8	1	7	3	4	5
5	1	8	3	4	2	7	6	9
4	3	7	5	9	6	2	8	1

Puzzle 6

8	1	6	7	9	3	4	5	2
5	2	3	1	8	4	7	9	6
4	9	7	2	5	6	1	8	3
1	7	5	3	4	8	6	2	9
2	3	9	6	7	1	8	4	5
6	4	8	5	2	9	3	7	1
9	8	1	4	3	2	5	6	7
3	5	2	8	6	7	9	1	4
7	6	4	9	1	5	2	3	8

Puzzle 7

6	3	5	4	7	8	1	9	2
1	2	7	9	5	6	8	3	4
9	4	8	2	3	1	5	6	7
2	1	6	5	8	3	4	7	9
7	9	3	1	4	2	6	5	8
8	5	4	6	9	7	2	1	3
5	8	9	7	6	4	3	2	1
3	6	2	8	1	9	7	4	5
4	7	1	3	2	5	9	8	6

Puzzle 8

6	1	8	2	9	3	4	7	5
3	9	4	5	7	1	8	2	6
2	5	7	8	4	6	3	1	9
1	8	9	3	5	4	2	6	7
5	2	6	1	8	7	9	3	4
4	7	3	6	2	9	1	5	8
8	3	5	9	6	2	7	4	1
7	6	1	4	3	8	5	9	2
9	4	2	7	1	5	6	8	3

Puzzle 9

6	4	5	2	1	7	8	3	9
1	2	8	4	3	9	7	6	5
9	7	3	8	6	5	1	4	2
5	1	7	3	8	2	4	9	6
4	6	2	9	5	1	3	7	8
3	8	9	6	7	4	5	2	1
7	9	1	5	2	3	6	8	4
2	3	6	1	4	8	9	5	7
8	5	4	7	9	6	2	1	3

The Marathon – Answers

Puzzle 10

7	9	3	8	6	2	5	4	1
1	6	4	9	5	7	8	3	2
5	8	2	3	1	4	9	6	7
4	2	8	1	7	6	3	5	9
6	3	5	2	9	8	7	1	4
9	1	7	4	3	5	6	2	8
8	4	6	7	2	3	1	9	5
2	5	9	6	8	1	4	7	3
3	7	1	5	4	9	2	8	6

Puzzle 11

3	2	9	7	1	8	5	4	6
6	7	1	5	9	4	3	8	2
5	4	8	2	6	3	1	7	9
7	5	2	9	4	1	8	6	3
4	1	3	8	2	6	9	5	7
8	9	6	3	5	7	2	1	4
1	3	4	6	8	2	7	9	5
9	6	7	1	3	5	4	2	8
2	8	5	4	7	9	6	3	1

Puzzle 12

8	9	7	2	4	5	1	6	3
2	4	5	3	1	6	7	8	9
3	6	1	9	7	8	2	4	5
6	8	3	5	9	1	4	2	7
1	7	9	4	3	2	6	5	8
4	5	2	8	6	7	3	9	1
9	2	4	1	5	3	8	7	6
5	1	6	7	8	4	9	3	2
7	3	8	6	2	9	5	1	4

Puzzle 13

6	7	4	3	1	5	2	9	8
8	5	1	9	2	6	3	7	4
3	9	2	4	8	7	1	6	5
4	2	6	8	5	9	7	3	1
1	3	5	2	7	4	6	8	9
9	8	7	1	6	3	5	4	2
5	4	9	6	3	2	8	1	7
2	6	8	7	4	1	9	5	3
7	1	3	5	9	8	4	2	6

Puzzle 14

3	4	1	7	8	9	5	6	2
7	8	2	6	5	1	3	9	4
9	5	6	3	4	2	1	7	8
4	2	3	5	1	7	6	8	9
1	7	9	8	6	4	2	5	3
5	6	8	9	2	3	4	1	7
2	1	7	4	9	5	8	3	6
8	3	4	1	7	6	9	2	5
6	9	5	2	3	8	7	4	1

Puzzle 15

2	8	3	7	1	6	4	9	5
4	7	9	3	5	2	8	1	6
1	6	5	9	8	4	3	7	2
3	2	7	1	4	5	6	8	9
5	1	6	2	9	8	7	3	4
9	4	8	6	7	3	2	5	1
7	3	4	5	6	9	1	2	8
8	9	2	4	3	1	5	6	7
6	5	1	8	2	7	9	4	3

Puzzle 16

7	2	4	1	9	6	3	8	5
9	5	8	3	2	4	1	7	6
6	1	3	7	5	8	4	2	9
5	7	1	9	8	2	6	3	4
3	9	2	4	6	7	5	1	8
4	8	6	5	3	1	7	9	2
8	6	7	2	4	3	9	5	1
2	3	5	6	1	9	8	4	7
1	4	9	8	7	5	2	6	3

Puzzle 17

7	3	2	5	6	9	8	4	1
8	1	9	4	7	2	6	3	5
5	6	4	1	8	3	9	7	2
6	5	3	9	4	8	2	1	7
9	2	8	7	1	5	4	6	3
1	4	7	2	3	6	5	9	8
4	7	5	6	2	1	3	8	9
3	9	1	8	5	4	7	2	6
2	8	6	3	9	7	1	5	4

Puzzle 18

1	9	2	3	7	4	6	5	8
8	5	7	1	2	6	3	4	9
4	6	3	5	9	8	7	1	2
3	4	9	6	1	2	5	8	7
5	2	8	7	3	9	4	6	1
6	7	1	4	8	5	9	2	3
7	8	4	9	5	1	2	3	6
2	3	6	8	4	7	1	9	5
9	1	5	2	6	3	8	7	4

The Marathon – Answers

Puzzle 19

8	6	5	4	3	7	9	2	1
1	4	7	9	8	2	6	3	5
2	9	3	1	6	5	4	8	7
3	2	6	5	7	8	1	4	9
4	7	1	2	9	3	5	6	8
9	5	8	6	1	4	2	7	3
5	3	4	7	2	9	8	1	6
6	8	9	3	4	1	7	5	2
7	1	2	8	5	6	3	9	4

Puzzle 20

7	1	8	6	4	5	9	3	2
9	2	5	3	1	7	6	8	4
6	3	4	2	8	9	5	7	1
1	9	6	5	3	4	8	2	7
3	8	2	7	6	1	4	9	5
5	4	7	9	2	8	3	1	6
2	7	3	8	5	6	1	4	9
8	6	1	4	9	2	7	5	3
4	5	9	1	7	3	2	6	8

Puzzle 21

4	7	2	3	1	5	6	9	8
9	8	5	4	7	6	1	2	3
6	1	3	9	2	8	4	5	7
7	3	6	2	5	9	8	1	4
2	4	8	6	3	1	5	7	9
5	9	1	7	8	4	3	6	2
3	6	4	5	9	7	2	8	1
8	2	7	1	6	3	9	4	5
1	5	9	8	4	2	7	3	6

Puzzle 22

9	8	4	3	6	2	7	1	5
5	7	2	4	9	1	3	8	6
6	3	1	5	8	7	2	4	9
4	6	5	7	3	8	9	2	1
2	9	3	1	4	6	8	5	7
7	1	8	9	2	5	4	6	3
8	5	6	2	7	9	1	3	4
3	2	9	6	1	4	5	7	8
1	4	7	8	5	3	6	9	2

Puzzle 23

8	4	7	1	3	5	2	6	9
2	1	3	9	6	8	5	4	7
9	6	5	7	4	2	1	3	8
7	2	8	4	5	1	6	9	3
6	5	1	3	9	7	4	8	2
3	9	4	2	8	6	7	5	1
5	3	2	8	7	4	9	1	6
1	8	6	5	2	9	3	7	4
4	7	9	6	1	3	8	2	5

Puzzle 24

2	4	6	9	5	7	8	3	1
9	5	7	3	1	8	6	4	2
1	8	3	6	2	4	9	5	7
5	9	1	7	3	2	4	8	6
4	7	8	5	6	9	2	1	3
6	3	2	8	4	1	5	7	9
3	6	9	1	8	5	7	2	4
8	1	4	2	7	6	3	9	5
7	2	5	4	9	3	1	6	8

Puzzle 25

4	5	6	1	2	3	8	9	7
2	9	1	6	8	7	4	3	5
7	8	3	9	4	5	6	2	1
5	3	2	8	9	1	7	6	4
6	1	4	7	5	2	3	8	9
8	7	9	4	3	6	1	5	2
3	2	7	5	1	8	9	4	6
1	4	8	2	6	9	5	7	3
9	6	5	3	7	4	2	1	8

Puzzle 26

6	4	7	5	8	3	9	1	2
5	3	2	9	4	1	7	8	6
9	8	1	2	7	6	3	5	4
3	5	9	4	6	8	1	2	7
1	6	8	7	2	9	5	4	3
7	2	4	1	3	5	8	6	9
4	7	5	8	9	2	6	3	1
2	1	6	3	5	7	4	9	8
8	9	3	6	1	4	2	7	5

Puzzle 27

4	9	5	3	7	1	8	6	2
7	6	8	2	5	4	9	1	3
2	3	1	6	9	8	4	7	5
8	2	6	5	1	9	3	4	7
5	4	9	8	3	7	1	2	6
1	7	3	4	2	6	5	8	9
3	8	7	1	6	5	2	9	4
9	5	4	7	8	2	6	3	1
6	1	2	9	4	3	7	5	8

The Marathon – Answers

Puzzle 28

1	3	4	7	8	9	5	6	2
5	6	7	3	4	2	8	9	1
9	2	8	5	1	6	4	3	7
4	5	9	8	2	7	6	1	3
3	1	2	4	6	5	9	7	8
8	7	6	1	9	3	2	4	5
6	8	1	2	7	4	3	5	9
7	9	3	6	5	8	1	2	4
2	4	5	9	3	1	7	8	6

Puzzle 29

9	2	8	7	5	4	3	6	1
3	7	5	6	1	8	2	9	4
4	6	1	3	9	2	8	5	7
7	9	2	8	3	5	4	1	6
1	4	3	9	7	6	5	8	2
8	5	6	2	4	1	9	7	3
2	1	9	5	6	3	7	4	8
6	3	7	4	8	9	1	2	5
5	8	4	1	2	7	6	3	9

Puzzle 30

6	7	2	9	1	3	8	5	4
1	3	8	7	4	5	2	9	6
5	4	9	8	6	2	3	7	1
9	8	3	5	7	1	4	6	2
7	5	6	3	2	4	9	1	8
2	1	4	6	8	9	5	3	7
8	6	5	2	9	7	1	4	3
3	2	1	4	5	6	7	8	9
4	9	7	1	3	8	6	2	5

Puzzle 31

4	5	7	8	1	3	9	6	2
3	9	1	2	6	7	8	4	5
2	6	8	9	5	4	1	3	7
1	7	4	3	8	2	5	9	6
8	2	6	5	4	9	3	7	1
5	3	9	6	7	1	4	2	8
7	8	5	4	9	6	2	1	3
9	1	2	7	3	8	6	5	4
6	4	3	1	2	5	7	8	9

Puzzle 32

8	9	4	7	1	5	2	3	6
7	1	6	3	4	2	8	5	9
5	2	3	9	8	6	1	7	4
9	4	5	1	2	7	3	6	8
6	3	1	5	9	8	7	4	2
2	7	8	4	6	3	9	1	5
1	5	9	2	7	4	6	8	3
4	8	2	6	3	1	5	9	7
3	6	7	8	5	9	4	2	1

Puzzle 33

8	1	5	9	3	7	6	4	2
9	4	7	6	8	2	3	1	5
6	3	2	5	1	4	7	8	9
7	9	8	4	5	1	2	6	3
1	6	4	2	9	3	8	5	7
2	5	3	7	6	8	4	9	1
4	2	1	8	7	5	9	3	6
5	7	6	3	4	9	1	2	8
3	8	9	1	2	6	5	7	4

Puzzle 34

9	6	7	3	4	5	2	1	8
5	2	3	1	8	6	7	4	9
4	1	8	7	9	2	3	5	6
2	3	4	9	5	7	6	8	1
7	9	5	8	6	1	4	3	2
1	8	6	2	3	4	5	9	7
6	4	1	5	7	9	8	2	3
8	5	9	6	2	3	1	7	4
3	7	2	4	1	8	9	6	5

Puzzle 35

1	2	3	4	7	6	9	5	8
4	6	5	9	8	1	3	2	7
7	9	8	2	5	3	6	1	4
2	3	7	1	9	8	4	6	5
6	1	9	7	4	5	2	8	3
5	8	4	6	3	2	1	7	9
8	4	1	5	2	9	7	3	6
9	5	2	3	6	7	8	4	1
3	7	6	8	1	4	5	9	2

Puzzle 36

5	6	4	7	3	2	1	8	9
1	7	8	4	9	5	6	2	3
3	9	2	1	8	6	7	5	4
9	3	5	6	4	7	2	1	8
8	2	1	9	5	3	4	6	7
6	4	7	8	2	1	3	9	5
4	8	3	2	6	9	5	7	1
7	5	6	3	1	8	9	4	2
2	1	9	5	7	4	8	3	6